Monika Reimann

Grammaire de base

de l'allemand

Avec exercices

Traduction
Marie-Lys Wilwerth-Guitard

Max Hueber Verlag

Für M. und D.

| E | 3. | 2. | 1. | | Die letzten Ziffern |
| 2003 | 02 | 01 | 00 | 1999 | bezeichnen Zahl und Jahr des Druckes. |

Alle Drucke dieser Auflage können, da unverändert,
nebeneinander benutzt werden.
2. Auflage 1999
© 1999 Max Hueber Verlag, D-85737 Ismaning
Verlagsredaktion: Peter Süß
Umschlaggrafik: Maria Hösl, München
Zeichnungen: Wilfried Poll, München
Druck und Bindung: Schoder, Gersthofen
Printed in Germany
ISBN 3–19–031575–2

Avant-propos

Ce livre s'adresse aux débutants qui ont besoin de compléter le cours d'allemand par des explications grammaticales et des exercices. Il est particulièrement adapté à la préparation de l'examen *Zertifikat Deutsch als Fremdsprache*, le vocabulaire de tous les exemples choisis et des exercices correspondant au niveau de connaissances requis à ce stade du cours de base.

Il s'adresse également à tous ceux qui veulent réactiver leurs connaissances de l'allemand, ou encore à ceux du cours de perfectionnement qui rencontreraient quelques problèmes avec la grammaire de base et souhaiteraient la revoir, dans son ensemble, ou retravailler certains points précis.

Pour qui veut faire l'apprentissage de l'allemand langue étrangère, cette grammaire est le complément indispensable de tout manuel (niveau élémentaire), aussi bien dans le cours que dans le travail personnel.

Dans chaque chapitre, les exercices sont divisés en deux degrés de difficultés. Les plus faciles sont marqués d'un chiffre de couleur claire, les plus difficiles d'un chiffre de couleur sombre. Si l'on travaille sans l'aide d'un professeur, on peut se procurer le corrigé des exercices (N° 3-19-011575-3).

Il n'est pas impératif de suivre l'ordre des chapitres. Les exemples inclus au sommaire permettent à l'utilisateur d'avoir un aperçu rapide et d'organiser son propre programme de travail.

Je remercie chaleureusement ici toutes les étudiantes et tous les étudiants étrangers qui, en testant cette méthode, m'ont fourni des informations d'une extrême importance et de précieuses suggestions.

Monika Reimann

Table des matières

▰▰▰ Le Verbe ▰▰▰

1.1	**Les verbes de base**	10	
	sein – haben – werden	10	ich bin, ich habe, ich werde
	können – dürfen – müssen – sollen – wollen – mögen (verbes de modalité)	12	ich kann, ich muss, ich darf, ich will, ich soll, ich mag / möchte
	lassen – brauchen	16	ich lasse, ich brauche
1.2	**Les temps**	24	
	Le présent	24	ich frage, ich fahre
	Le passé	26	ich habe gefragt, ich bin gefahren, ich fragte, ich fuhr, ich hatte gefragt, ich war gefahren
	Le futur	30	ich komme morgen, ich werde dich besuchen
1.3	**Les verbes forts**	43	Liste der unregelmäßigen Verben
1.4	**Les verbes à particule séparable et à particule inséparable**	46	ich fange … an, ich beginne, ich habe angefangen, ich habe begonnen
1.5	**Les verbes pronominaux**	50	ich beeile mich, ich ziehe mir eine Jacke an
1.6	**L'infinitif**	54	
	L'infinitif sans *zu*	54	ich werde kommen, ich muss gehen, ich habe ihn kommen hören, ich bin einkaufen gegangen
	L'infinitif avec *zu*	55	ich hoffe zu gewinnen, ich freue mich zu kommen, ich habe vergessen einzukaufen

	L'infinitif substantivé	55	das Fehlen des Passes, beim Arbeiten am Computer
1.7	**L'impératif**	57	Kommen Sie bitte! – Setz dich doch! – Geh weg! – Seid leise!
1.8	**Le passif**	61	Hier wird gebaut. – Der Patient wurde gerettet. – Die Küche muss aufgeräumt werden. – Ich weiß, dass die Küche aufgeräumt werden muss.
1.9	**Le subjonctif II**	66	Ich hätte gern noch einen Kaffee. – Wenn ich Zeit hätte, würde ich kommen. – Hätte ich doch mein Geld mitgenommen! – An deiner Stelle würde ich … – Er tut so, als ob er arbeiten würde.
1.10	**Le discours indirect**	78	Er sagt, dass er keine Zeit hat. – Er sagte, er nehme an der Konferenz teil. – Er sagte, er habe das nicht gewusst.
1.11	**Les verbes avec prépositions**	79	Ich warte hier auf dich. – Ich freue mich darauf, ihn wiederzusehen. – Worüber sprecht ihr gerade?

Le Nom

2.1	**La déclinaison**	92	
	Le genre	92	der Löffel, die Gabel, das Messer, der Haustürschlüssel
	Le pluriel	94	der Löffel, -; die Gabel, -n; das Haus, ⁻er
	Le cas	95	der Mann, den Mann, dem Mann, des Mannes

2.2	**L'article**	104	
	La déclinaison avec article du groupe défini	105	der, dieser, jeder, mancher
	La déclinaison avec article du groupe indéfini	106	ein, kein, mein, irgendein
	La déclinaison sans article	107	Haben Sie Kinder? – Er ist Arzt.
2.3	**L'adjectif**	112	
	La déclinaison	112	der neue Film, ein neuer Film, französischer Wein
	Participes présent et passé employés comme adjectifs	116	der blühende Apfelbaum, das geschlossene Fenster
	La comparaison	116	klein, kleiner, am kleinsten – gut, besser, am besten
	Adjectifs et participes substantivés	118	der / die Bekannte, das Beste, der / die Vorsitzende
2.4	**Le nombre**	129	
	Les nombres cardinaux	129	eins, zwei, drei
	Les nombres ordinaux	130	der erste, der zweite, der dritte
	Les adverbes numéraux et exprimant la fréquence	130	erstens, zweitens, einmal, zweimal, einfach, zweifach / doppelt
	Les fractions, les mesures, les poids, la monnaie	131	1/2 – 1 m – 1 kg – 1 l – 1 % – 3,50 €
	Les indications de temps	132	8.05 – 1. April – 7. 5. 1975 – Berlin, den 12.6.1980 – montags – am Morgen – im Juni – im Winter
2.5	**Le pronom**	136	
	Les pronoms personnels	138	ich, mich, mir
	Les pronoms déclinés comme l'article défini	139	der, dieser, jeder, mancher, viele, beide, einige

Les pronoms suivant leur propre déclinaison	141	einer, keiner, irgendeiner, meiner, welcher
Les mots interrogatifs	143	warum, wann, wo, wer, was, wie, über wen, worüber
Les pronoms réfléchis	145	mich, dich, sich
Les pronoms relatifs	145	der, den, dem, dessen, was, wo, auf wen, worauf
Le mot *es*	148	Es liegt dort. – Ich sehe es. – Ich weiß es nicht.

Mots invariables

3.1	**La préposition**	160	
	Les prépositions marquant le lieu	162	in Rom, nach Italien, am Meer
	Les prépositions marquant le temps	168	am Sonntag, im Mai, nach dem Unterricht, um 15 Uhr
	Les prépositions marquant la manière	171	auf Deutsch, im Spaß, zum Glück
	Les prépositions marquant la cause	172	aus Mitleid, vor Angst, wegen dir
3.2	**L'adverbe**	183	
	Les adverbes de lieu	183	dorthin, hierher, rückwärts
	Les adverbes de temps	186	früher, heute, damals, vorher
	Les adverbes de manière	188	bestimmt, leider, ziemlich
	Les adverbes de cause/concession/conséquence	189	deshalb, trotzdem, also

La Phrase

4.1	**La valence du verbe**	194	
	nominatif + verbe	194	Das Kind spielt.
	nominatif + verbe + accusatif	194	Das Kind malt ein Bild.
	nominatif + verbe + datif	195	Ich helfe dir.
	nominatif + verbe + datif + accusatif	195	Er erzählt seinem Kind eine Geschichte.
	nominatif + verbe + nominatif	196	Sie wird Ärztin.
	nominatif + verbe + complément au datif ou à l'accusatif avec préposition	196	Wir beginnen mit dem Unterricht. – Ich denke gern an meine Kindheit.
4.2	**Verbe en 2e position**	197	
	La place du verbe conjugué	197	Heute beginnt … – Wann fängt … an?
	La position initiale dans la phrase	197	Meine Freundin ist angekommen.
	Le champ central dans la phrase	198	Er hat ihr heute Blumen mitgebracht.
	La négation	200	Ich habe ihn nicht angerufen.
	La position finale dans la phrase	200	Der Film war interessanter, als ich gedacht habe.
	La phrase interrogative avec mot interrogatif	201	Wie heißen Sie?
	Les conjonctions: deux propositions principales	201	und, aber, sondern, oder, denn
	Les adverbes employés comme conjonctions	202	deshalb, dann, also, schließlich
4.3	**Le verbe en 1ère position**	209	
	L'impératif	209	Komm bitte!

	La phrase interrogative appelant la réponse oui/non	209	Gehst du mit ins Kino?
4.4	**Le verbe en position finale**	210	
	Propositions subordonnées de temps	210	als, wenn, während, bis, seitdem, bevor, nachdem, sobald
	Propositions subordonnées de cause	213	weil, da
	Propositions subordonnées de condition	213	wenn, falls
	Propositions subordonnées de concession	214	obwohl
	Propositions subordonnées de but	214	damit / um … zu
	Propositions subordonnées de conséquence	215	so dass, ohne dass
	Propositions subordonnées de manière	215	wie, als, je … desto
	Propositions subordonnées d'opposition	216	(an)statt dass
	dass – ob	217	Ich wusste nicht, dass du kommst. – Ich weiß nicht, ob ich Zeit habe.

Abréviations

acc.	accusatif	obj.	objet
compl.	complément	par ex.	par exemple
dat.	datif	pers.	personne
etc.	et cetera	plur.	pluriel
f.	féminin	PP	proposition principale
fém.	féminin		
gén.	génitif	PS	proposition subordonnée
inf.	infinitif		
m/masc.	masculin	qqch.	quelque chose
n.	neutre	qqun	quelqu'un (dat/acc)
nom.	nominatif	sing.	singulier

1.1 Le Verbe
Les verbes de base

sein – haben – werden

 DEVENIR

Emploi

sein

verbe à sens plein
Ich bin müde. + adjectif
Ich bin Ärztin. + substantif
Die Tür ist geschlossen. + participe passé

auxiliaire
Ich bin gestern angekommen. parfait
Ich war gestern angekommen. plus-que-parfait

emploi modal
Es ist noch viel zu tun. nécessité

haben

verbe à sens plein
Ich habe Hunger. + nom

auxiliaire
Ich habe ihn gefragt. parfait
Ich hatte ihn gefragt. plus-que-parfait

emploi modal
Ich habe noch viel zu tun. nécessité

werden

verbe à sens plein
Ich werde Pilot. + nom
Ich werde ungeduldig. + adjectif

auxiliaire
Ich würde jetzt gern schlafen. subjonctif II
Hier wird ein Museum gebaut. passif
Ich werde dich bald besuchen. futur I

emploi modal
Er wird krank sein. supposition

Formes

		sein	haben	werden
Présent	ich	bin	habe	werde
	du	bist	hast	wirst
	er, sie, es	ist	hat	wird
	wir	sind	haben	werden
	ihr	seid	habt	werdet
	sie, Sie	sind	haben	werden
Prétérit	ich	war	hatte	wurde
	du	warst	hattest	wurdest
	er, sie, es	war	hatte	wurde
	wir	waren	hatten	wurden
	ihr	wart	hattet	wurdet
	sie, Sie	waren	hatten	wurden
Parfait ✳	ich	bin … gewesen	habe … gehabt	bin … geworden
	…	…	…	…
Plus-que-parfait	ich	war … gewesen	hatte … gehabt	war … geworden
	…	…	…	…

▶ Exercices 1–3

████████████ # können – dürfen – müssen – sollen – wollen – mögen (verbes de modalité)

Emploi

können
Pouvoir

aptitude - capacité
Ich kann segeln.

possibilité → ON
Kann man hier Theaterkarten kaufen?

permission/autorisation
Du kannst gern mein Auto nehmen.
PRENDRE

dürfen
Pouvoir (permission)

permission/autorisation
Man darf hier parken.

interdiction
Sie dürfen hier nicht rauchen.

interrogation polie
Darf ich Ihnen helfen?

müssen
Devoir

devoir, commande, ordre (de l'extérieur)
Der Arzt hat gesagt, ich muss diese Tabletten dreimal täglich nehmen.
Sie müssen hier noch unterschreiben.

+ négation (‚nicht brauchen zu' / ‚nicht müssen')
Der Arzt hat gesagt, die anderen Tabletten brauche ich nicht mehr zu nehmen.
Dieses Formular brauchen Sie nicht zu unterschreiben.

La forme *nicht brauchen zu* remplace *nicht müssen*.

▶ Emploi de *brauchen* comme verbe à sens plein page 16
AVOIR BESOIN

sollen

Devoir,
(conseil)

conseil, recommandation
Der Arzt hat gesagt, ich soll nicht so viel rauchen.

conseil, recommandation (forme plus courtoise et moins contraignante, subjonctif II)
Der Arzt hat gesagt, ich sollte mehr Sport treiben.

obligation morale
Man soll Rücksicht auf andere Menschen nehmen.

wollen

Vouloir

projet, intention
Wir wollen uns ein Haus kaufen.
Ich will Physik studieren.

mögen
(indicatif)

‚mögen' comme verbe à sens plein
Ich mag sie sehr gern.
Kaffee mag ich nicht. Ich trinke nur Tee.

ich möchte
(subjonctif II)

souhait, désir
Ich möchte bitte ein Kilo Tomaten.
Ich möchte jetzt wirklich nach Hause gehen.

projet, intention
Ich möchte im nächsten Urlaub nach Griechenland fahren.
Ich möchte ihn auf jeden Fall besuchen.

Les verbes de modalité pris comme verbes à sens plein		
können	Ich kann Deutsch.
dürfen	Ich darf mit dir ins Kino.
müssen	Ich muss jetzt nach Hause.
sollen	Was soll das?
wollen	Ich will jetzt nicht!
ich möchte	Ich möchte das aber nicht!

13

Formes

	könnten	dürfen	müssen

Présent

	könnten	dürfen	müssen
ich	kann	darf	muss
du	kannst	darfst	musst
er, sie, es	kann	darf	muss
wir	können	dürfen	müssen
ihr	könnt	dürft	müsst
sie, Sie	können	dürfen	müssen

	sollen	wollen	mögen	
ich	soll	will	mag	möchte
du	sollst	willst	magst	möchtest
er, sie, es	soll	will	mag	möchte
wir	sollen	wollen	mögen	möchten
ihr	sollt	wollt	mögt	möchtet
sie, Sie	sollen	wollen	mögen	möchten

Prétérit

	können	dürfen	müssen
ich	konnte	durfte	musste
du	konntest	durftest	musstest
er, sie, es	konnte	durfte	musste
wir	konnten	durften	mussten
ihr	konntet	durftet	musstet
sie, Sie	konnten	durften	mussten

	sollen	wollen	mögen	
ich	sollte	wollte	mochte	wollte*
du	solltest	wolltest	mochtest	...
er, sie, es	sollte	wollte	mochte	
wir	sollten	wollten	mochten	
ihr	solltet	wolltet	mochtet	
sie, Sie	sollten	wollten	mochten	

* Au prétérit *ich möchte* est remplacé par *ich wollte*:
Nachher möchte ich noch einen Spaziergang machen.
Gestern wollte ich noch einen Spaziergang machen, aber dann hat es
plötzlich angefangen zu regnen.

Parfait   Ich habe nach Hause gehen müssen.
                   Er hat nicht schlafen können.

                   Le parfait des verbes de modalité est peu employé. On lui
                   préfère le prétérit pour des raisons de style.

                   Ich musste nach Hause gehen.
                   Er konnte nicht schlafen.

Plus-que-parfait   Le plus-que-parfait des verbes de modalité (Ich hatte nach
                   Hause gehen müssen. – Er hatte nicht schlafen können.) est
                   rarement employé.

Ordre des mots dans la proposition principale

Présent   Ich muss zum Arzt gehen.
Prétérit   Ich musste zum Arzt gehen.

                   rarement utilisés
Parfait   Ich habe nach Hause gehen müssen.
Plus-que-parfait   Ich hatte nach Hause gehen müssen.

Ordre des mots dans la proposition subordonnée

Présent   Ich weiß, dass ich zum Arzt gehen muss.
Prétérit   Ich weiß, dass ich zum Arzt gehen musste.

                   rarement utilisés
Parfait   Ich weiß, dass ich zum Arzt habe gehen müssen.
Plus-que-parfait   Ich wusste, dass ich zum Arzt hatte gehen müssen.

▶ Exercices 4–11

lassen – brauchen

Emploi

lassen

verbe à sens plein
Er kann es einfach nicht lassen.
Lassen Sie das!
Tu, was du nicht lassen kannst!

emploi modal
Ich lasse ihn mit meinem Auto fahren.   autorisation/
                                              permission
Er lässt sich von ihr die Haare schneiden.   commande
Die Maschine lässt sich noch reparieren.   possibilité

lassen
au parfait

verbe à sens plein
Ich habe meine Tasche zu Hause gelassen.   *haben + gelassen*

emploi modal
Er hat sich von ihr die Haare schneiden   *haben + infinitif*
lassen.   *+ lassen*

brauchen

verbe à sens plein
Ich brauche Hilfe.   *+ accusatif*

emploi modal
Du brauchst nicht zu kommen.   = *nicht müssen*
                                              ▶ *müssen* voir page 12

brauchen
au parfait

verbe à sens plein
Ich habe Hilfe gebraucht.   *haben + gebraucht*

emploi modal
Du hast nicht zu kommen brauchen.   *haben + nicht*
                                              + infinitif + brauchen

On préfère ici utiliser le prétérit pour des raisons de style:

Du brauchtest nicht zu kommen.

Formes

		lassen	brauchen
Présent	ich	lasse	brauche
	du	lässt	brauchst
	er, sie, es	lässt	braucht
	wir	lassen .	brauchen
	ihr	lasst	braucht
	sie, Sie	lassen	brauchen
Prétérit	ich	ließ	brauchte
	du	ließest	brauchtest
	er, sie, es	ließ	brauchte
	wir	ließen	brauchten
	ihr	ließt	brauchtet
	sie, Sie	ließen	brauchten
Parfait **verbe à sens plein**	ich …	habe … gelassen …	habe … gebraucht …
Parfait **auxiliaire**	ich …	habe … inf. + lassen …	habe … *nicht* + inf. + brauchen …
Plus-que-parfait **verbe à sens plein**	ich …	hatte … gelassen …	hatte … gebraucht …
Plus-que-parfait **auxiliaire**	ich …	hatte … inf. + lassen …	hatte … *nicht* + inf. + brauchen …

▶ Exercices 12–14

1 Présent et prétérit:
mettez les formes qui conviennent.

1. er *hat* — er hatte
2. wir sind — wir WARREN
3. du wirst — du wurdest
4. ihr seid — ihr WART
5. Sie haben — Sie hatten
6. er ist — er war
7. ich bin — ich WAR
8. ihr werdet — ihr WURDET
9. sie SIND — sie waren
10. ich werde — ich WURDE
11. ihr habt — ihr hattet
12. es wird — es wurde

2 Présent: complétez avec les formes
de *sein*, *haben* et de *werden*.

1. Seit wann *ist* er denn verheiratet?
2. Wie alt bist du?
3. Wenn ich mal groß SEIN, WERDE ich Lokomotivführer.
4. Er hat einfach keine Geduld mit den Kindern.
5. Wann hast du eigentlich Geburtstag?
6. Die Lebensmittel ist von Tag zu Tag teurer!
7. Ihr schafft das schon. Ihr _____ doch noch jung!
8. Es ist schon ziemlich kühl hier. Ich mache lieber die Heizung an.
9. Ich WERDE langsam müde. Ich gehe am besten bald ins Bett.
10. HABEN Sie Herrn Peters schon angerufen?

3 Prétérit ou parfait:
Inscrivez les formes de *sein*, *haben* et de *werden*.

1. ■ Ich habe letzte Woche dauernd bei dir angerufen.
   ● Tut mir Leid, aber da *war* ich nicht zu Hause.
2. ■ Wo WARST du denn gestern Abend? Warum bist du nicht gekommen?
   ● Ich hatte leider keine Zeit.
3. ■ Ich WAR letzte Woche krank.
   ● Was hatten Sie denn?
   ■ Grippe.
4. ■ Warum hat er uns alle eingeladen?
   ● Er WAR gestern Vater GEWORDEN und möchte das mit uns feiern.
5. ■ Wo WART ihr denn so lange? Wir warten schon eine halbe Stunde.
   ● Wir hatten Hunger und haben uns noch schnell etwas zu essen gekauft.
6. ■ Wie WAR denn euer Urlaub? Hattet ihr eine schöne Zeit?
   ● Eigentlich schon. Nur WAR leider am dritten Tag das Wetter schlecht, und dann WAR es jeden Tag kälter.

4 Présent et prétérit:
complétez avec les formes de *können, dürfen, müssen, sollen, wollen, möcht-*.

1. er *will/wollte* _____ schlafen   wollen
2. sie _MUß/MUßte_ arbeiten   müssen
3. ihr _sollt/solltet_ aufhören   sollen
4. ich _will/wolte_ spazieren gehen   wollen
5. sie (Pl.) _Möchten/wolten_ lesen   möcht-
6. er _darf/durfte_ ausgehen   dürfen
7. du _Kannst/Konntest_ Auto fahren   können
8. wir _müßen/mussten_ bleiben   müssen
9. ich _darf/durfte_ nicht mitkommen   dürfen
10. Sie _können/konnten_ gehen   können
11. ich _muss/musste_ lernen   müssen
12. du _sollst/solltest_ anfangen   sollen
13. sie _will/wolte_ studieren   wollen
14. sie _Möchte/wolte_ essen   möcht-

5 Transformez le parfait en prétérit.

1. Sie hat heute nicht länger arbeiten
   wollen.
   Sie wollte heute nicht länger arbeiten.

2. Der Patient hat viel spazieren gehen
   müssen.
   ER MUSSTE viel SPA.. GEHEN

3. Sie hat gestern Abend nicht ins Kino
   gehen dürfen.
   SIE durfte GESTERN Ab.. GEHEN

4. Er hat den Bericht gestern nicht
   mehr beenden können.
   ER Konnte den... BEENDEN

5. Sie haben nicht mitkommen wollen.
   SIE wollten nicht mitkommen

6. Wir haben das noch schnell fertig
   machen müssen.
   Wir MUSSTEN da...MACHEN

7. Aber du hast doch die Karten kaufen
   sollen!
   Aber du solltest... kaufen

8. Er hat mir nicht helfen können.
   Er Konnte mir nicht helfen

6 Complétez en utilisant les formes de
müssen ou de *sollen*.

1. Du _____ dich beeilen, sonst
   kommst du zu spät.

2. Er _MUß_ nicht so viel rauchen.

3. Ich _____ heute unbedingt zum
   Zahnarzt. Ich hatte die ganze Nacht
   starke Zahnschmerzen.

4. Deine Kinder _____ bitte ein
   bisschen leiser sein. Ich möchte
   schlafen.

5. Er _____ seine Arbeit nicht immer
   wichtiger nehmen als seine Familie.

6. Ich kann erst etwas später kommen.
   Ich _____ vorher noch für Oma
   einkaufen gehen.

7. Einen schönen Gruß von Herrn
   Breiter. Sie _____ nicht auf ihn
   warten, er _____ nämlich noch
   länger arbeiten.

8. Wir haben kein Brot mehr. Wir
   _____ noch zur Bäckerei gehen.

7 Présent: complétez avec les formes de *können* ou de *dürfen*.

1. Ich _k̲___ nicht mehr so viel Fleisch essen, weil es zu viel Cholesterin hat.
2. _D̲___ du mir morgen bitte dein Auto leihen?
3. Sie ist erst 15 Jahre alt, deshalb _____ sie noch nicht in die Disco gehen.
4. _____ man hier rauchen?
5. Wir _____ diese Wohnung nicht mieten. Sie ist zu teuer.
6. Am Sonntag _____ ihr doch ausschlafen, oder?
7. Kinder unter 16 Jahren _____ in Deutschland keinen Alkohol kaufen.
8. Herr Petersen ist krank. Er _____ deshalb heute leider nicht kommen.

9 Complétez en mettant le verbe de modalité qui convient.

1. Wir _möchten_ jetzt gern frühstücken. Kommst du bitte? (sollen/möchten/müssen)
2. Mein Mann _____ leider nicht mitkommen. Er hat heute keine Zeit. (durfte/sollte/konnte)
3. Der Chef lässt Ihnen sagen, dass Sie ihn irgendwann anrufen _____ . (sollen/wollen/müssen)
4. Sie _____ mich sprechen, hat meine Kollegin gesagt? (konnten/wollten/durften)
5. _____ ich Ihnen in den Mantel helfen? (Muss/Will/Darf)
6. Du _____ noch deine Hausaufgaben machen. Vergiss das nicht! (kannst/musst/darfst)

8 Que doit-on faire ici (obligation)? Que peut-on faire ici (possibilité)? Que peut-on faire ici (permission)?

1.	rauchen	*Hier darf man nicht rauchen.*
2.	telefonieren	Hier kann man telefonieren
3.	überholen	Hier darf man überholen
4.	leise sein	Hier muss man leise sein
5.	parken	Hier darf man nicht parken
6.	Information bekommen	kann
7.	Motorrad fahren	darf
8.	parken	darf

10 Prétérit: complétez en mettant les formes de *können, müssen* ou de *dürfen*.

1. Früher _____ wir in kalten Zimmern schlafen.

2. Früher _____ die Kinder in der Schule immer ganz still sitzen. Sie _____ nicht aufstehen, ohne den Lehrer vorher zu fragen.

3. Früher _____ wir auf der Straße spielen. Heute ist das zu gefährlich.

4. Früher _____ die Schulkinder Uniformen tragen.

5. Früher _____ man in der Schule nichts mitbestimmen.

6. Früher _____ wir auch nicht so viele Hausaufgaben machen wie die Kinder heute.

7. Früher _____ wir beim Essen nicht sprechen. Das hat unser Vater verboten.

8. Früher _____ wir auch am Samstag zur Schule gehen.

11 Complétez en mettant le verbe de modalité qui convient.

1. ■ _Musst_ du heute Abend arbeiten oder _Kannst_ du mit uns essen gehen?
   ● Ich _muss_ heute leider arbeiten. Aber vielleicht _können_ wir am Wochenende etwas zusammen unternehmen.

2. ■ _Können_ Sie Französisch?
   ● Nein, aber ich _will_ es auf jeden Fall lernen.

3. ■ Frag doch mal deine Eltern, ob du mit uns ins Kino _dürfen_
   ● Ich _____ bestimmt nicht. Sie haben schon gesagt, dass ich heute Abend zu Hause bleiben _muss_

4. ■ _____ ich Ihnen ein Glas Wein anbieten?
   ● Nein danke, ich _will_ lieber ein Mineralwasser.

5. ■ Das Flugzeug hat Verspätung. Wir _____ noch eine Stunde warten.
   ● Dann _____ wir doch in die Bar gehen und dort warten.

6. ■ So, wir sind fertig. Sie _____ jetzt nach Hause gehen.
   ● Danke, aber ich _____ gern noch ein bisschen hier bleiben.

12 Présent ou parfait:
complétez en mettant les formes de *lassen* et de *brauchen*.

1. Ihr _____ euch keine Sorgen zu machen. brauchen / présent

2. Warum _____ ihr mich nicht endlich in Ruhe? lassen / présent

3. Wo sind bloß meine Schlüssel? Hoffentlich _____
   ich sie nicht in der Wohnung _____ . lassen / présent

4. Vielen Dank, aber das kann ich alleine machen.
   Du _____ mir nicht zu helfen. brauchen / présent

5. Sein Auto ist schon wieder kaputt. Dabei _____
   er es erst vor zwei Wochen reparieren _____ . lassen / présent

6. Der Zug fährt erst in zwei Stunden. Wir _____
   uns also nicht so zu beeilen. brauchen / présent

13 Complétez avec les formes de *lassen* ou de *brauchen*.

1. ■ Ich habe die Küche schon aufgeräumt.
   ● Danke, das ist sehr nett, aber das hättest du nicht zu machen _____ .

2. ■ Deine Wohnung sieht ja plötzlich ganz anders aus!
   ● Ja, ich habe sie kürzlich renovieren _____ .

3. ■ Nie _____ du mich etwas alleine machen!
   ● Das stimmt doch nicht.

4. ■ Nimmst du immer noch diese starken Tabletten?
   ● Nein. Seit ein paar Tagen habe ich keine Schmerzen mehr, deshalb _____
     ich sie nicht mehr zu nehmen.

5. ■ Hast du das Kleid selbst genäht?
   ● Nein, das habe ich vom Schneider machen _____ .

6. ■ Hast du gerade ein bisschen Zeit?
   ● Ja, klar.
   ■ Ich _____ nämlich deinen Rat.

14 Reconstituez le dialogue en reliant les phrases a à j qui vont avec les phrases 1 à 10.

1. ■ Brauchst du das Auto heute Abend?
   ● *Nein, du kannst es nehmen.*
2. ■ Mein Hund ist krank, und ich weiß nicht, was er hat.
3. ■ Hans, mach bitte die Musik leiser. Das stört unsere Gäste.
4. ■ Muss ich die Briefe heute noch schreiben?
5. ■ Was macht denn Ihre Tochter nach dem Abitur?
6. ■ Die Lebensmittelpreise sind in den letzten Jahren sehr gestiegen.
7. ■ Wie funktioniert denn der Videorekorder?
8. ■ Wo bleibt denn deine Tochter? Sie wollte doch schon seit einer Stunde zurück sein.
9. ■ Wann kommt denn Christian aus Moskau zurück?
10. ■ Fahren wir am Sonntag zum Segeln?

a ● Morgen. Ich _____ ihn wahrscheinlich am Flughafen abholen.
b ● Nein, nein, das _____ Sie heute nicht mehr zu tun. Sie _____ gern nach Hause gehen.
c ● Nein, du *kannst* es nehmen.
d ● Ja, ich _____ auch langsam unruhig. Normalerweise ist sie immer pünktlich.
e ● Sie _____ Rechtsanwältin _____ und hofft, dass sie gleich einen Studienplatz bekommt.
f ● Ich habe schon alles programmiert. Sie _____ ihn nur noch anzumachen.
g ● Dann _____ du zum Tierarzt gehen und ihn untersuchen _____ .
h ● Ja gern, ich _____ aber nicht segeln.
i ● Ach _____ ihn doch seine Musik hören. Das stört uns gar nicht.
j ● Ja, ja, alles _____ teurer.

1	2	3	4	5	6	7	8	9	10
c									

1.2 Le Verbe
Les temps

Temps	Passé	Présent	Futur
Possibilités	Parfait	Présent	Présent + indication de temps
	Prétérit		Futur I
	Plus-que-parfait		

▬▬▬ Le Présent

Präsens

Emploi

Le présent direct
- ▪ Wo ist denn Angela?
- ● Im Wohnzimmer.
- ▪ Und was macht sie da?
- ● Sie sieht fern.

Un fait définitivement acquis / une généralité
- ▪ Köln liegt am Rhein.
- ▪ In Paris gibt es viele Museen.

Un état persistant
- ▪ Ich wusste nicht, dass du jetzt in Köln wohnst.
- ● Doch, schon seit drei Jahren.
- ▪ Arbeitest du dort?
- ● Nein, ich studiere noch.

Formes

Verbes réguliers (faibles)

fragen

ich	frage	wir	fragen
du	fragst	ihr	fragt
er, sie, es	fragt	sie, Sie	fragen

Particularités

	arbeiten	**reisen**	**klingeln**
ich	arbeite	reise	klingle
du	arbeitest	reist	klingelst
er, sie, es	arbeitet	reist	klingelt
wir	arbeiten	reisen	klingeln
ihr	arbeitet	reist	klingelt
sie, Sie	arbeiten	reisen	klingeln

De même:	finden	rasen	würfeln
	leiden		sammeln

Verbes irréguliers (forts)

	lesen	**nehmen**	**fahren**
ich	lese	nehme	fahre
du	liest	nimmst	fährst
er, sie, es	liest	nimmt	fährt
	…	…	…

De même:	sehen	geben	schlafen
	befehlen	sprechen	laufen

	essen	**wissen**
ich	esse	weiß
du	isst	weißt
er, sie, es	isst	weiß
	…	…

De même:	vergessen
	messen

▶ Exercices 1–5

Le Passé

Pour exprimer le passé, on utilise surtout le parfait et le prétérit. Le parfait est employé principalement dans la conversation courante; le prétérit plus particulièrement dans la langue écrite et pour les verbes de base.

Le Parfait

Emploi

La plupart du temps dans la conversation courante, dans les dialogues

- ■ Was hast du gestern gemacht?
- ● Ich bin ins Kino gegangen.
- ■ Was hast du denn angeschaut?
- ● Den neuen Film von Wim Wenders.
- ■ Den habe ich auch schon gesehen.
- ● Und wie hat er dir gefallen?
- ■ Sehr gut.

Formes

haben + participe passé	*sein* + participe passé
Was **hast** du **gemacht**?	Wohin **bist** du **gegangen**?
• la plupart des verbes	• verbes de déplacement (sans accusatif), par ex.: *fahren, kommen, abfahren:*
Da ist ja das Wörterbuch! Ich habe es schon gesucht.	Ich bin am Wochenende in die Berge gefahren. Warum bist du nicht schon gestern gekommen? Der Zug ist vor einer Stunde abgefahren.

- tous les verbes réfléchis,
  par ex.: *sich entscheiden,
  sich unterhalten*:

  Ich habe mich noch nicht
  entschieden.
  Er hat sich mit mir
  unterhalten.

- verbes indiquant un changement d'état (sans accusatif)
  par ex.: *wachsen, werden,
  aufwachen*:

  Der Baum ist aber ganz
  schön gewachsen!
  Er ist letzte Woche Vater
  geworden.
  Sie ist gerade aufgewacht.

- *bleiben, sein*:

  Er ist eine Woche in
  Frankfurt geblieben.
  Ich bin gestern im Theater
  gewesen.

Participe passé

Verbes qui se terminent par -t (verbes faibles)	ge ▬ t	hat gekauft, hat geholt, hat gemacht …
	▬ ge ▬ t	hat eingekauft, hat abgeholt. … (verbes à particule séparable) ▶ *Verbes à particule séparable* voir page 46
	▬ t*	hat bezahlt, hat erzählt, hat studiert …
Verbes qui se terminent par -n (verbes forts)	ge ▬ en	hat geschrieben, ist gegangen, hat gegessen …
	▬ ge ▬ en	hat abgeschrieben, hat angefangen … (verbes à particule séparable)
	▬ en*	hat empfohlen, hat entschieden, hat verlassen …

* Les verbes commençant *be-, emp-, ent-, er-, ge-, miss-, ver-, zer-* (particules inséparables), de même que la plupart des verbes en *-ieren* forment leur participe passé sans *ge*.

denken, bringen, kennen, nennen, wissen, … (Verbes mixtes)	ge ▬ t (avec changement de la voyelle du radical)	hat gedacht, hat gebracht, hat gekannt, hat genannt, hat gewusst, …
haben, sein		hat gehabt, ist gewesen ▶ Voir page 11

▶ Exercices 6–12

Le Prétérit

Emploi

La plupart du temps dans le récit écrit, le compte-rendu
- ◾ Als sie gestern Abend nach Hause kam, erschrak sie fürchterlich. Ihre Wohnungstür war offen und …
- ◾ Die Blutuntersuchungen ergaben leider kein eindeutiges Krankheitsbild. Deshalb musste der Patient …

Presque toujours avec les verbes de base et ,geben' (es gab)
- ◾ Was habt ihr gestern Abend gemacht?
- ● Wir waren im Kino.

▶ Formes du prétérit des *verbes de base* pages 11, 14

Formes

Verbes qui se terminent par -t (verbes faibles)

fragen

ich	fragte	wir	fragten
du	fragtest	ihr	fragtet
er, sie, es	fragte	sie, Sie	fragten

Particularités

arbeiten

ich	arbeitete	wir	arbeiteten
du	arbeitetest	ihr	arbeitetet
er, sie, es	arbeitete	sie, Sie	arbeiteten

De même: warten, landen, atmen, regnen …

Verbes avec changement de voyelle du radical (verbes forts)

gehen

ich	ging	wir	gingen
du	gingst	ihr	gingt
er, sie, es	ging	sie, Sie	gingen

▶ Exercices 13–17

Le Plus-que-parfait

Emploi

Le plus-que-parfait n'est pas très souvent utilisé. Il sert à exprimer l'antériorité, dans le passé, d'un événement A par rapport à un autre événement B le plus souvent exprimé au prétérit (langue écrite, par ex. dans un compte-rendu)

Evénement A   *Evénement B*
Der Regen hatte schon aufgehört, als ich gestern in Rom ankam.

Man kann den Satz auch umkehren:

Evénement B   *Evénement A*
Als ich gestern in Rom ankam, hatte der Regen schon aufgehört.

Formes

hatte + participe passé	*war* + participe passé
Der Regen hatte schon aufgehört, als ich ankam.	Der Zug war leider schon abgefahren, als ich am Bahnhof ankam.

▶ Exercices 18–19

▶ Emploi du présent et du passé, exercices 20–22

Als ich bei der Geburtstagsfeier ankam,
war der Kuchen schon aufgegessen.

Le Futur

Pour exprimer le futur, on utilise généralement le présent associé à une indication de temps (*morgen, heute Abend, nächste Woche, bald* ...).

Présent

Pour désigner une action ou un événement situé dans l'avenir (présent associé à une indication de temps)
■ Kommst du am Samstag zu meiner Party?
● Tut mir Leid, aber ich fahre am nächsten Wochenende zu meinen Eltern.

Futur I

En utilisant le Futur I (*werden* + Infinitiv), on ajoute au futur une notion supplémentaire.

Futur + promesse
■ Ich werde dich in deiner neuen Wohnung besuchen.
■ Wir werden das heute Abend noch einmal besprechen.

Futur + intention, prévision
■ Ich werde in die USA fliegen.
■ Wir werden bestimmt eine Lösung finden.

▶ Exercice 23   ▶ Formes de *werden* page 11

1 Mettez le verbe à la personne demandée.

1. sie _geht_   gehen
2. ihr _____   schreiben
3. er _____   telefonieren
4. wir _____   reden
5. du _____   machen
6. sie _____   fragen
7. ich _____   spielen
8. du _____   lieben
9. Sie _____   studieren
10. sie (Pl.) _____   schlafen

2 Complétez les phrases à l'aide du verbe entre parenthèses.

1. Wo _arbeitest_ du? (arbeiten)
2. Er _____ schon lange. (warten)
3. Ich _____ meine Brille nicht. (finden)
4. Wann _____ du? (fahren)
5. Ich _____ es nicht. (wissen)
6. Sie _____ dich um Hilfe. (bitten)
7. Er _____ mich nie. (grüßen)
8. Wann _____ ihr? (heiraten)
9. Wie _____ du? (heißen)
10. _____ du mir bitte den Stift? (geben)

3 Posez les questions en utilisant la 2e personne du singulier.

1. Was empfehlen Sie mir?   _Was empfiehlst du mir?_
2. Wohin fahren Sie?   _____
3. Wem helfen Sie gern?   _____
4. Wie lange warten Sie hier schon?   _____
5. Warum vergessen Sie das immer wieder?   _____
6. Warum antworten Sie nicht?   _____
7. Warum nehmen Sie mir die Zigaretten weg?   _____
8. Wissen Sie den Namen?   _____
9. Warum werden Sie gleich so böse?   _____
10. Welche Zeitung lesen Sie da?   _____
11. Sind Sie heute Abend zu Hause?   _____
12. Wen laden Sie sonst noch ein?

4 Inscrivez les verbes dans la grille de mots croisés ci-dessous.
Ecrivez en majuscules (ß = SS).

Horizontalement

1. Warum ______ du nicht? Ich habe dich etwas gefragt.
2. Mama, wo ______ du?
3. ______ du keine Süßigkeiten?
4. Ich habe so einen Durst. Ich muss schnell etwas ______ .
5. Ich ______ gern an meine Kindheit.
6. Wo ______ wir uns heute Abend? Vor dem Kino?

Verticalement

7. Mach schnell. Opa ______ schon auf uns.
8. Der Pullover ______ mir nicht. Er ist viel zu groß.
9. Was ______ ihr denn heute Abend? Wollt ihr uns nicht besuchen?
10. Ich ______ schon seit 15 Jahren in dieser Firma.
11. ______ ich Ihnen in den Mantel helfen?
12. Wie ______ du mein neues Kleid? Das habe ich heute gekauft.

5 Complétez les phrases
par le verbe qui convient.

1. ■ Wie lange _sind_ Sie schon in
   Deutschland?
   ● Seit ungefähr einem halben
   Jahr.
   ■ Sie _____ ja schon sehr gut
   Deutsch.
   ● Danke, es _____ so.

2. ■ Es _____ schon spät.
   Die letzte U-Bahn _____ in
   zwanzig Minuten.
   ● Das macht nichts. Ich _____
   dich mit meinem Auto nach
   Hause.
   ■ Vielen Dank, das _____ sehr
   nett von dir.

3. ■ Ich _____ Martin. Und wie
   _____ du?
   ● Isabel.
   ■ Und woher _____ du?
   ● Aus Venezuela.
   ■ Wie lange _____ du schon in
   Deutschland?
   ● Seit zwei Monaten.

4. ■ Warum _____ du Oma nicht?
   Du _____ doch, dass sie viel
   Arbeit hat.
   ● Ich _____ nicht, wie ich ihr
   helfen kann.
   ■ Warum _____ du sie dann
   nicht? Sie _____ es dir dann
   schon.

6 Complétez les questions en utilisant un participe passé de la liste ci-dessous.

angekommen	angerufen	gegessen	geschrieben
gesagt	empfohlen	ausgemacht	gewesen

1. Warum hast du das Radio _____ ?

2. Sind Sie schon einmal in Japan _____ ?

3. Hast du heute schon etwas _____ ?

4. Wann sind Sie _____ ?

5. Warum hast du mir keine Karte aus dem Urlaub _____ ?

6. Warum haben Sie das nicht früher _____ ?

7. Warum hast du denn nicht _____ , wenn du so spät kommst?

8. Wer hat Ihnen dieses Hotel _____ ?

7 Formez les participes passés et classez-les dans le tableau en suivant le modèle.

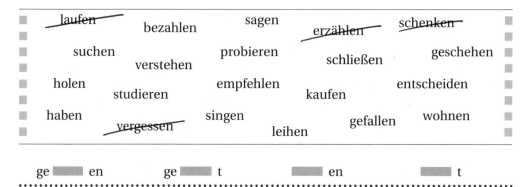

~~laufen~~   bezahlen   sagen   ~~erzählen~~   ~~schenken~~

suchen   probieren   schließen   geschehen

verstehen

holen   empfehlen   entscheiden

studieren   kaufen

haben   ~~vergessen~~   singen   gefallen   wohnen

leihen

ge ▪▪ en	ge ▪▪ t	▪▪ en	▪▪ t
gelaufen	geschenkt	vergessen	erzählt
…	…	…	…

8 *Haben* ou *sein*: complétez les phrases.

1. ▪ Wie _bist_____ du hierher gekommen?
   ● Ich _____ ein Taxi genommen.

2. ▪ Was _____ Sie am Wochenende gemacht?
   ● Ich _____ zum Schwimmen gegangen.

3. ▪ _____ ihr euch schon die Innenstadt angesehen?
   ● Ja, gestern.
   ▪ Und wie _____ es euch gefallen?
   ● Sehr gut. Wir _____ sogar in einer Kirche ein Orgelkonzert gehört.

4. ▪ Warum _____ du denn so müde?
   ● Ich _____ gestern mit einer Freundin in die Disco gegangen. Danach _____ ich lange nicht eingeschlafen. Vielleicht _____ ich auch am Nachmittag zu viel Kaffee getrunken.

5. ▪ _____ Sie schon umgezogen?
   ● Nein, wir _____ die Wohnung noch nicht fertig renoviert.

6. ▪ Wann _____ Sie geboren?
   ● Am 12.1.1968.
   ▪ Und wann _____ Sie mit dem Studium begonnen?
   ● 1988.

9 Formez l'infinitif des verbes suivants:

1. gerannt   *rennen*
2. geflossen   _____
3. geschienen   _____
4. gehangen   _____
5. getroffen   _____
6. geraten   _____
7. gelegen   _____
8. gewusst   _____
9. gekannt   _____
10. geschnitten   _____
11. weggenommen   _____
12. gestritten   _____
13. gestiegen   _____
14. begonnen   _____
15. abgebrochen   _____
16. gelungen   _____
17. gehoben   _____
18. geschwiegen   _____
19. verglichen   _____
20. gestohlen   _____
21. gewogen   _____
22. betrogen   _____
23. gefangen   _____
24. überwiesen   _____
25. verziehen   _____

10 Qu'avez-vous fait le week-end dernier? Faites des phrases suivant le modèle.

1. lange schlafen
   Ich habe lange geschlafen.
2. gemütlich frühstücken
3. in Ruhe Zeitung lesen
4. einen Brief schreiben
5. einen Mittagsschlaf machen
6. spazieren gehen
7. zum Abendessen mit Freunden ins Restaurant gehen
8. einen Film im Fernsehen sehen

11 *Haben* ou *sein*: Posez les questions en utilisant le parfait.

- viel~~arbeiten~~
- mit dem Auto fahren
- etwas Schönes machen
- Zeitung lesen
- Radio hören
- jemandem helfen
- spazieren gehen
- Essen kochen
- schwimmen
- früh~~aufstehen~~
- eine Liebeserklärung machen
- Fahrrad fahren

1. *Haben Sie heute viel gearbeitet?*
2. *Sind Sie heute früh aufgestanden?*
3. _____
4. …

12 Complétez en mettant les verbes au parfait.

1. Franz _hat_ sich um einen Job bei der Post _beworben_ .   bewerben

2. Beeil dich! Der Film _____ vor zehn Minuten _____ .   beginnen

3. Mein Gott, _____ ich jetzt _____ !   erschrecken

4. Wie _____ denn der Mann _____ , mit dem ich   heißen
   dich gestern auf der Party _____ _____ ?   treffen

5. Er _____ sehr lange unter der Trennung von seiner   leiden
   Freundin _____ .

6. Wer _____ das Spiel _____ ? Becker oder Agassi?   gewinnen

7. Ah, meine Brille! Wo _____ du sie denn _____ ?   finden

8. Was _____ du gestern Abend _____ ?   trinken

9. Das ist mein Platz! Hier _____ ich immer _____ .   sitzen

10. In welchem Jahr _____ Mozart _____ ?   sterben

11. Den ganzen Tag hat es geregnet, aber am Abend _____   werden
    es plötzlich wieder schön _____ .

12. Warum _____ Sie mich gestern nicht mehr _____ ?   anrufen

13 Prétérit: mettez les verbes à la personne demandée.

1. sie _machte_	machen	10. es _____		regnen
2. du _____	fragen	11. Sie _____		zahlen
3. ich _____	stellen	12. ihr _____		kaufen
4. sie _____	lieben	13. sie (Pl.) _____		holen
5. er _____	arbeiten	14. wir _____		legen
6. ihr _____	warten	15. ich _____		reisen
7. wir _____	reden	16. er _____		hängen
8. sie (Pl.) _____	hoffen	17. du _____		grüßen
9. du _____	lachen	18. Sie _____		kochen

14 Conjuguez les verbes au prétérit (3e personne du singulier) et classez-les suivant le modèle.

Infinitif	avec changement de voyelle	sans changement de voyelle
1. bieten	_er bot_	
2. antworten		_er antwortete_
3. bleiben		
4. stellen		
5. stehen		
6. hängen		
7. machen		
8. wissen		
9. nennen		
10. zählen		
11. erschrecken		
12. heben		

15 Ecrivez la forme du prétérit des verbes suivants:

Présent	Prétérit	Parfait
1. Der Unterricht fängt an.	_fing an_	hat angefangen
2. Sie bringt mir ein Geschenk.		hat gebracht
3. Der Arzt verbindet die Wunde.		hat verbunden
4. Er zieht sich um.		hat sich umgezogen
5. Die Katze frisst die Maus.		hat gefressen
6. Der Bus hält hier nicht.		hat gehalten
7. Sie lädt Sarah zur Party ein.		hat eingeladen
8. Er läuft schnell.		ist gelaufen
9. Sie kommt auch.		ist gekommen
10. Das Baby schreit viel.		hat geschrien
11. Sie treibt viel Sport.		hat getrieben
12. Er verzeiht mir die Lüge.		hat verziehen

16 Ecrivez l'infinitif des verbes suivants:

1. stahl   *stehlen*
2. verglich   _____
3. roch   _____
4. sandte   _____
5. zwang   _____
6. warf   _____
7. betrog   _____
8. nahm   _____
9. schwieg   _____
10. fror   _____

17 Récit: complétez les phrases en écrivant les verbes proposés ci-dessous au prétérit.

gehen	~~ankommen~~	
nehmen		auspacken
essen	fahren	gehen
suchen		gehen
empfehlen		kennen
duschen	haben	sein

1. Ich *kam* um 17.13 Uhr am Hauptbahnhof *an* .
2. Als Erstes _____ ich mir ein Hotel.
3. Da ich keine Hotels in Frankfurt _____ , _____ ich zur Touristeninformation.
4. Dort _____ man mir ein sehr schönes, kleines Hotel im Zentrum.
5. Ich _____ ein Taxi und _____ in das Hotel.
6. Dort _____ ich meine Koffer _____ und _____ .
7. Danach _____ ich ins Restaurant und _____ sehr viel, da ich großen Hunger _____ .
8. Schließlich _____ ich sehr müde und _____ ins Bett.

18 Répondez aux questions en utilisant le plus-que-parfait.

1. ▪ Warum mussten Sie noch einmal nach Hause zurückfahren? (meinen Pass vergessen)
   ● *Weil ich meinen Pass vergessen hatte.*

2. ▪ Warum konntest du die Tür nicht aufschließen? (den Schlüssel nicht mitgenommen)
   ● _____
   _____

3. ▪ Warum durftest du nicht mitkommen? (meine Eltern verbieten es)
   ● _____
   _____

4. ▪ Warum mussten Sie gestern so lange im Büro bleiben? (der Chef bitten mich darum)
   ● _____
   _____

5. ▪ Warum konntest du nichts zu essen einkaufen? (die Geschäfte schon geschlossen)
   ● _____
   _____

6. ▪ Warum bist du gestern Abend nicht länger geblieben? (plötzlich müde werden)
   ● _____
   _____

19 Complétez les phrases en mettant le verbe au plus-que-parfait.

spülen	beenden	~~essen~~	abfahren	aufhören
werden	heimgehen	einladen	vergessen	

1. Als ich gestern Abend nach Hause kam, _hatten_____ meine Eltern schon
   __gegessen_____ .
2. Bis wir am Bahnhof ankamen, _____ der Zug schon _____ .
3. Bis ich morgens aufstand, _____ mein Mann bereits das ganze Geschirr
   von der Party _____ .
4. Ich war am Wochenende in Paris. Eine Freundin _____ mich _____ .
5. Als wir in Bremen ankamen, _____ der Regen schon _____
   und es _____ zum Glück auch wärmer _____ .
6. Als ich zur Party kam, _____ die meisten Gäste bereits _____ .
7. Als ich ihn kennenlernte, _____ er schon sein Studium _____ .
8. Inge ging noch schnell einmal nach Hause zurück, weil sie ihre Fahrkarte

   _____ _____ .

20 Présent et parfait: écrivez de petits dialogues.

Aujourd'hui, Britta a complètement changé ses habitudes. Une amie l'interroge.

Normalement
1. mit dem Bus ins Büro fahren
   ■ *Fährst du immer mit dem Bus*
   ins Büro?

2. um 7.00 Uhr aufstehen

3. um 8.30 Uhr mit der Arbeit anfangen

4. mittags in der Kantine essen

5. um 17.00 Uhr nach Hause fahren

6. auf dem Rückweg vom Büro einkaufen

7. abends Freunde treffen

8. um 23.00 Uhr ins Bett gehen

Aujourd'hui
Auto
● *Normalerweise ja, aber heute*
bin ich mit dem Auto gefahren.

8.30 Uhr

10.00 Uhr

ein Sandwich im Büro essen

19.00 Uhr

direkt nach Hause fahren

allein zu Hause bleiben

22.00 Uhr

21 Présent, prétérit ou parfait: complétez en mettant le verbe entre parenthèses au temps convenable.

Der Wettlauf zwischen dem Hasen und dem Igel

Es _____ (sein) an einem schönen Sonntagmorgen im Herbst. Frau Igel _____ (waschen) gerade ihre Kinder und _____ sie _____ (anziehen). Inzwischen _____ ihr Mann auf dem Feld _____ (spazieren gehen). Er _____ (sein) noch nicht weit weg, da _____ (treffen) er den Hasen. Er _____ (grüßen) ihn höflich: „Guten Morgen, Meister Lampe!" Aber der Hase, der ein vornehmer und unhöflicher

5 Herr _____ (sein), _____ (antworten) ihm nicht. Er _____ (sagen) erst nach einer Weile: „Was _____ (machen) du hier schon so früh am Morgen auf dem Feld?" – „Ich _____ _____ " (spazieren gehen), _____ (sagen) der Igel. – „Spazieren?" _____ (lachen) der Hase, „Du mit deinen kleinen, krummen Beinen?" Das _____ (ärgern) den Igel sehr und er _____ (sagen): „_____ (glauben) du,

10 dass du mit deinen Beinen schneller laufen _____ (können) als ich? – „Aber natürlich", _____ (antworten) der Hase. Da _____ der Igel _____ (vorschlagen): „Machen wir doch einen Wettlauf. Ich werde dich überholen!" – „Das _____ (sein) ja zum Lachen!", _____ (rufen) der Hase. „Du mit deinen krummen Beinen! Aber wir _____ (können) es ja versuchen. Was _____ (bekommen) der

15 Sieger?" – „Ein Goldstück und eine Flasche Schnaps." – „Gut, _____ wir gleich _____ (anfangen)!" – „Moment", _____ (sagen) der Igel, „ich _____ (müssen) erst noch frühstücken. In einer halben Stunde _____ (sein) ich wieder hier." Als der Igel zu Hause _____ (ankommen), _____ (rufen) er seine Frau und _____ (sagen): „Ich _____ mit dem Hasen um eine Flasche Schnaps und ein

20 Goldstück _____ (wetten), dass ich schneller laufen _____ (können) als er. Zieh

dich schnell an und komm mit." – „Ach du lieber Gott, _____ (sein) du verrückt?"
– „Keine Sorge, komm einfach mit."
Unterwegs _____ (sagen) der Igel zu seiner Frau: „Pass gut auf! Wir _____
(machen) den Wettlauf auf dem langen Feld. Der Hase _____ (laufen) in der einen
25 Furche, ich _____ (laufen) in der anderen Furche. Da oben _____ wir _____
(anfangen). Stell dich hier unten hin. Wenn der Hase _____ (ankommen), dann
_____ (rufen) du: ‚Ich _____ (sein) schon da!'"
Der Igel _____ (gehen) nach oben zum Hasen. „_____ wir _____
(anfangen)?" – „Ja, gut." – „Also, eins – zwei – drei", _____ (zählen) der Hase und
30 _____ (rennen) los. Der Igel _____ (machen) nur drei Schritte und _____
(bleiben) dann sitzen. Als der Hase unten _____ (ankommen), _____ (rufen)
die Igelfrau: „Ich _____ (sein) schon da!" Der Hase _____ (sein) total
überrascht und _____ (rufen): „Noch einmal!" und _____ (rennen) wieder
zurück. Als er oben _____ (ankommen), _____ (rufen) der Igelmann: „Ich
35 _____ (sein) schon da!" – „Noch einmal!", _____ (schreien) der Hase und
_____ (rennen) wieder los. So _____ (laufen) der Hase noch dreiundsiebzig
Mal, und immer _____ (hören) er: „Ich _____ (sein) schon da!"
Beim vierundsiebzigsten Mal _____ (bleiben) der Hase tot liegen. Der Igel
_____ (nehmen) das Goldstück und die Flasche Schnaps, _____ (rufen) seine
40 Frau, und beide _____ (gehen) glücklich nach Hause. Und wenn sie nicht
_____ _____ (sterben), dann _____ (leben) sie noch heute.

D'après un conte des Frères Grimm

22 Parfait ou plus-que-parfait: complétez les phrases en mettant le verbe au temps qui convient.

> Rappel: Présent + Parfait
> Prétérit + Plus-que-parfait

1. Ich bin heute sehr müde, weil ich letzte Nacht zu wenig
   _____ .   schlafen

2. Sie wollte nicht mit ins Kino, weil sie den Film schon
   letzte Woche _____ .   sehen

3. Er ging so schnell er konnte, aber als er am Bahnhof
   ankam, _____ der Zug gerade _____ .   abfahren

4. Ich möchte jetzt nichts mehr essen, denn ich _____
   vorhin schon etwas _____ .   essen

5. _____ Sie die Post schon _____ ?   abschicken

6. Die Party war ein großer Erfolg. Wir _____ auch alles
   gut _____ .   vorbereiten

23 Futur: formez des questions en utilisant tous les mots proposés.

1. am – was – du – Wochenende – machen
   Was machst du am Wochenende?

2. heute Abend – Kino – mit mir – du – ins – gehen

3. wie lange – im – du – Sommer – Urlaub machen

4. wann – mich – besuchen – Sie

5. morgen – spazieren gehen – wir

6. Sonntag – wir – am – schwimmen gehen

7. nächstes Jahr – in die – wieder – Sie – fliegen – USA

8. nach der Arbeit – gehen – ins – Café – wir – noch

1.3 Le Verbe
Les verbes irréguliers

Infinitif (3e. pers. du sing.)	Prétérit	Parfait
abbiegen	bog ab	ist abgebogen
anbieten	bot an	hat angeboten
anfangen (fängt an)	fing an	hat angefangen
backen (bäckt)	backte/buk	hat gebacken
beginnen	begann	hat begonnen
betrügen	betrog	hat betrogen
beweisen	bewies	hat bewiesen
bewerben (bewirbt)	bewarb	hat beworben
bitten	bat	hat gebeten
bleiben	blieb	ist geblieben
braten (brät)	briet	hat gebraten
brechen (bricht)	brach	hat gebrochen
brennen	brannte	hat gebrannt
bringen	brachte	hat gebracht
denken	dachte	hat gedacht
dürfen (darf)	durfte	(hat gedurft/hat … dürfen)*
empfehlen (empfiehlt)	empfahl	hat empfohlen
entscheiden	entschied	hat entschieden
erschrecken (erschrickt)	erschrak	ist erschrocken
essen (isst)	aß	hat gegessen
fahren (fährt)	fuhr	ist gefahren
fallen (fällt)	fiel	ist gefallen
finden	fand	hat gefunden
fliegen	flog	ist geflogen
fließen	floss	ist geflossen
fressen (frisst)	fraß	hat gefressen
frieren	fror	hat gefroren
geben (gibt)	gab	hat gegeben
gehen	ging	ist gegangen
gelingen	gelang	ist gelungen
gelten (gilt)	galt	hat gegolten
geschehen (geschieht)	geschah	ist geschehen
gewinnen	gewann	hat gewonnen

haben (hat)	hatte	hat gehabt
halten (hält)	hielt	hat gehalten
hängen	hing	hat gehangen
heben	hob	hat gehoben
heißen	hieß	hat geheißen
helfen (hilft)	half	hat geholfen
kennen	kannte	hat gekannt
kommen	kam	ist gekommen
können (kann)	konnte	(hat gekonnt/hat … können)*
laden (lädt)	lud	hat geladen
lassen (lässt)	ließ	hat gelassen
laufen (läuft)	lief	ist gelaufen
leiden	litt	hat gelitten
leihen	lieh	hat geliehen
lesen (liest)	las	hat gelesen
liegen	lag	ist/hat gelegen
messen (misst)	maß	hat gemessen
mögen (mag)	mochte	hat gemocht
müssen (muss)	musste	(hat gemusst/hat … müssen)*
nehmen (nimmt)	nahm	hat genommen
nennen	nannte	hat genannt
raten (rät)	riet	hat geraten
riechen	roch	hat gerochen
rufen	rief	hat gerufen
scheinen	schien	hat geschienen
schieben	schob	hat geschoben
schlafen (schläft)	schlief	hat geschlafen
schlagen (schlägt)	schlug	hat geschlagen
schließen	schloss	hat geschlossen
schneiden	schnitt	hat geschnitten
schreiben	schrieb	hat geschrieben
schreien	schrie	hat geschrien
schweigen	schwieg	hat geschwiegen
schwimmen	schwamm	ist geschwommen
sehen (sieht)	sah	hat gesehen
sein (ist)	war	ist gewesen
senden	sandte	hat gesandt**
	sendete	hat gesendet
singen	sang	hat gesungen

sinken	sank	ist gesunken
sitzen	saß	ist/hat gesessen
sprechen (spricht)	sprach	hat gesprochen
springen	sprang	ist gesprungen
stehen	stand	ist/hat gestanden
stehlen (stiehlt)	stahl	hat gestohlen
steigen	stieg	ist gestiegen
sterben (stirbt)	starb	ist gestorben
streiten	stritt	hat gestritten
tragen (trägt)	trug	hat getragen
treffen (trifft)	traf	hat getroffen
treiben	trieb	hat getrieben
treten (tritt)	trat	hat getreten
trinken	trank	hat getrunken
tun	tat	hat getan
überweisen	überwies	hat überwiesen
verbieten	verbot	hat verboten
verbinden	verband	hat verbunden
vergessen (vergisst)	vergaß	hat vergessen
vergleichen	verglich	hat verglichen
verlieren	verlor	hat verloren
verzeihen	verzieh	hat verziehen
wachsen (wächst)	wuchs	ist gewachsen
waschen (wäscht)	wusch	hat gewaschen
wenden	wandte	hat gewandt**
	wendete	hat gewendet
werden (wird)	wurde	ist geworden
werfen (wirft)	warf	hat geworfen
wiegen	wog	hat gewogen
wissen (weiß)	wusste	hat gewusst
ziehen	zog	hat gezogen
zwingen	zwang	hat gezwungen

---

* ▶ Voir page 15

** *senden*: Die letzten Nachrichten werden um Mitternacht gesendet. (radio, télévision)
           Er hat mir einen Brief gesandt. (poste)
   wenden: In dieser Sache wandte er sich an einen Rechtsanwalt.
           Sie hat den Wagen vor dem Haus gewendet.

1.4 Le Verbe
Les verbes à particule séparable/inséparable

Il existe des verbes sans particule, des verbes à particule séparable et des verbes à particule inséparable.	Er *fängt* den Ball. Der Unterricht *fängt* um 9.00 Uhr *an*. Der Unterricht *beginnt* um 9.00 Uhr.

	Verbes à particule séparable	**Verbes à particule inséparable**
	anfangen	**beginnen**
Présent	ich fange … an	ich beginne …
Prétérit	ich fing … an	ich begann …
Parfait	ich habe … angefangen	ich habe … begonnen
Avec un verbe de modalité	ich möchte … anfangen	ich möchte … beginnen
Phrase interrogative	Wann fängst du … an? Fängst du … an?	Wann beginnst du …? Beginnst du …?
Impératif	Fang an!	Beginne!
Infinitif avec *zu*	Ich denke, bald … anzufangen.	Ich denke, bald … zu beginnen.

De même:

ich fahre … **ab**	ich **beginne**
ich komme … **an**	ich **empfehle**
ich mache … **auf/zu**	ich **entscheide**
ich gehe … **aus**	ich **erzähle**
ich arbeite … **zusammen**	ich **gefalle**
ich kaufe … **ein**	ich **miss**verstehe
ich stelle … **fest**	ich **verstehe**
ich fahre … **hin**	ich **zerstöre**

- Les particules suivantes sont dites inséparables:

| be- | ent- | ge- | ver- |
| emp- | er- | miss- | zer- |

- Les verbes comportant une particule pouvant également être employée indépendamment d'eux sont, pour la plupart, dits verbes à particule séparable. Les particules les plus importantes sont:

ab-	bei-	hin-	weg-
an-	ein-	los-	zu-
auf-	fest-	mit-	zurück-
aus-	her-	vor-	zusammen-

- Il existe également des particules tantôt séparables, tantôt inséparables:

| durch- | über- | unter- | wider- |
| hinter- | um- | voll- | wieder- |

Ich **steige** in Frankfurt **um**.	sens concret → séparable
Wir **wiederholen** die Lektion.	sens abstrait → inséparable

Au niveau débutant, retenir les verbes suivants:

inséparables

über-	er überfährt	er überholt
	er überlegt	er übernachtet
	er übernimmt	er überrascht
	er überredet	er übersetzt
	er überweist	er überzeugt
unter-	er unterrichtet	er unterscheidet
	er unterschreibt	er unterstützt
	er untersucht	
wider-	er widerspricht	
wieder-	er wiederholt	

séparables

um-	er steigt … um	er tauscht … um
	er zieht … um	

▶ Exercices 1–7

1 Présent: mettez les verbes suivants à la 3e pers. du sing. et classez-les selon qu'ils sont séparables ou inséparables.

■	weggehen	versuchen	■
■	bezahlen	weglaufen	■
■	bestellen	zurückgeben	■
■	misstrauen	vergleichen	■
■	entwickeln	gelingen	■
■	mitarbeiten	abfliegen	■
■	ausfallen	~~erlauben~~	■
■	vorstellen	einschließen	■
■	~~zurückschauen~~		■

séparables	**inséparables**
er schaut ... zurück	er erlaubt
...	...

2 Présent: formez des phrases.

Was macht eine Hausfrau?

1. das Baby anziehen
   Sie zieht das Baby an.

2. das Frühstück vorbereiten

3. den Tisch abräumen

4. das Geschirr spülen und abtrocknen

5. Lebensmittel einkaufen

6. die Wäsche aufhängen

7. die Tochter vom Kindergarten abholen

8. die Wohnung aufräumen

3 Transposez les phrases de l'exercice 2 au parfait.

Was hat sie den ganzen Tag gemacht?

1. *Sie hat das Baby angezogen.*
   ...

4 Présent: formez des phrases en utilisant les verbes suivants.

1. abfahren   *Der Zug fährt bald ab.*
2. empfehlen
3. zurückkommen
4. abgeben
5. verstehen
6. aufstehen
7. anrufen
8. erlauben
9. entscheiden
10. wegfahren

5 Présent: Transformez les phrases de l'exercice 4 en phrases interrogatives.

1. *Fährt der Zug bald ab?*
...

6 Parfait: formez des phrases en mettant les mots suivants dans le bon ordre.

1. die Haustür – abschließen – er – nicht
   Er hat die Haustür nicht abgeschlossen.

2. das Rauchen – der Arzt – mir – verbieten

3. wann – aufstehen – du – heute?

4. die unregelmäßigen Verben – ihr – wiederholen?

5. sie – im Schlafzimmer – verstecken – ihr ganzes Geld

6. warum – noch nicht – du – dich – umziehen?

7. nach zwei Stunden – der Direktor – beenden – die Diskussion

8. meine kleine Tochter – dieses schöne Glas – zerbrechen – leider

9. Papa – noch nicht – anrufen

10. anfangen – wann – der Film?

7 Verbes à particule séparable ou verbes à particule inséparable?

1. *Drehen* Sie das Steak nach drei Minuten *um* .   umdrehen

2. Er *versteht* keinen Spaß ____—____ .   verstehen

3. Bitte _____ Sie doch schon mit dem Essen _____ .   beginnen

4. Wer von euch _____ mit mir nachher die Wohnung _____ ? aufräumen

5. _____ dir doch eine Pizza beim Pizza-Service _____ .   bestellen

6. Warum _____ du sie nicht _____ ?   anrufen

7. Er _____ immer so lustige Geschichten _____ .   erzählen

8. Sie _____ sich immer erst in letzter Minute _____ .   entscheiden

1.5 Le verbe
Verbes pronominaux

Emploi

*Verbes **exclusivement** réfléchis*

sich erholen   Ich habe **mich** im Urlaub gut erholt.

accusatif (un seul objet)

sich etwas   Ich habe **mir** diese Entscheidung gut überlegt.
überlegen
                datif   accusatif

*Verbes pouvant **aussi** être réfléchis*

anziehen   Ich ziehe den Mantel an.

accusatif

sich anziehen   Ich ziehe **mich** an.

accusatif

                Ich ziehe **mir** einen Pullover an.

                datif   accusatif

Verbes pouvant exprimer une réciprocité

lieben   Er liebt sie und sie liebt ihn.
                Sie lieben **sich**.

Réciprocité utilisée avec une préposition

                Er ist glücklich mit ihr und sie ist
                glücklich mit ihm.
                Sie sind glücklich **miteinander**.

                préposition + *einander*

Le pronom réfléchi dans la phrase

Ich habe	**mich**	im Urlaub gut erholt.
Im Urlaub habe ich	**mich**	gut erholt.
Er hat erzählt, dass er	**sich**	im Urlaub gut erholt hat.

Principaux verbes réfléchis

sich amüsieren	Wir haben uns auf der Party gut amüsiert.
sich aufregen	Sie hat sich sehr über ihren Chef aufgeregt.
sich bedanken	Ich möchte mich ganz herzlich für die Blumen bedanken.
sich beeilen	Beeil dich bitte!
sich bemühen	Ich werde mich sehr um diesen Job bemühen.
sich beklagen	Sie beklagt sich immer über alles. Nichts gefällt ihr.
sich beschweren	Er hat sich beim Kellner über das schlechte Essen beschwert.
sich entschließen	Wir haben uns zu einem Kurzurlaub entschlossen.
sich erholen	Habt ihr euch im Urlaub gut erholt?
sich erkälten	Er hat sich beim Radfahren erkältet.
sich erkundigen	Haben Sie sich schon nach einer Zugverbindung erkundigt?
sich freuen	Wir haben uns sehr über Ihren Besuch gefreut.
sich irren	Tut mir Leid, da habe ich mich wohl geirrt.
sich kümmern	Er kümmert sich sehr um seine kranke Frau.
sich verabreden	Wir haben uns für heute Abend verabredet.
sich verabschieden	Einen Moment bitte. Ich muss mich noch verabschieden.
sich verlieben	Sie hat sich schon wieder verliebt.
sich vorstellen	Darf ich mich vorstellen? Ich heiße Peter Kramer.

Formes

	Accusatif		Datif	
ich freue	mich	Ich ziehe	mir	eine Jacke an.
du freust	dich	Du ziehst	dir	eine Jacke an.
er, sie, es freut	sich	Er zieht	sich	eine Jacke an.
wir freuen	uns	Wir ziehen	uns	eine Jacke an.
ihr freut	euch	Ihr zieht	euch	eine Jacke an.
sie, Sie freuen	sich	Sie ziehen	sich	eine Jacke an.

Les formes du pronom réfléchi sont identiques à celles du pronom personnel, à l'exception de la 3e pers. du sing. et de la 3e pers. du pluriel (*sich*).

▶ Exercices 1–3

Rappel:
Le pronom réfléchi est à l'accusatif quand il est le seul complément d'objet dans la phrase.
▶ Exception: *les verbes suivis du datif* voir page 195

Ich habe mich im Urlaub gut erholt.
　　　　　↓
　　　　　acc.

Lorsque la phrase comporte deux compléments d'objet, la personne (= pronom réfléchi) se met au datif et la chose à l'accusatif:

Ich ziehe mir eine Jacke an.
　　　　↓　　　↓
　　　　dat.　acc.

▶ *Valence des verbes* pages 194–196

1 Complétez par le pronom réfléchi à l'accusatif.

1. Ich ziehe _mich_ aus.
   (sich ausziehen)
2. Sie hat _____ verliebt.
   (sich verlieben)
3. Ich kann _____ nicht erinnern.
   (sich erinnern)
4. Wir haben _____ verlaufen.
   (sich verlaufen)
5. Ihr habt _____ geirrt.
   (sich irren)
6. Sie verstehen _____ sehr gut.
   (sich verstehen)
7. Du wunderst _____ .
   (sich wundern)
8. Er wäscht _____ .
   (sich waschen)
9. Wir treffen _____ heute Abend.
   (sich treffen)
10. Ich habe _____ schon bedankt.
    (sich bedanken)
11. Du hast _____ beschwert.
    (sich beschweren)
12. Habt ihr _____ im Urlaub gut erholt?
    (sich erholen)

3 Complétez par le pronom réfléchi à l'accusatif ou au datif.

1. ■ Warum wäschst du _____ schon wieder die Haare?
   ● Weil ich heute Abend noch ausgehe.
2. ■ Was ist denn passiert?
   ● Ich habe _____ die linke Hand verbrannt.
3. ■ Zieh _____ bitte um, wir müssen gehen.
   ● Was soll ich _____ denn anziehen? Den Mantel oder die Jacke?
4. ■ Ich kann _____ deine Telefonnummer einfach nicht merken.
   ● Dann schreib sie _____ doch endlich mal auf.
5. ■ Ich möchte _____ für meine Verspätung entschuldigen. Ich habe den Zug verpasst.
   ● Dafür brauchen Sie _____ doch nicht zu entschuldigen. Das kann jedem passieren.
6. ■ Nehmen Sie _____ doch noch etwas Kuchen.
   ● Nein, danke. Ich bin wirklich satt.

2 Complétez par le pronom réfléchi au datif.

1. Ich habe _mir_ das Buch gerade angesehen.
2. Kannst du _____ denn kein besseres Fahrrad leisten?
3. Ich kann _____ nicht vorstellen, dass das richtig ist.
4. Es wird sicher kalt. Zieh _____ lieber noch eine warme Jacke an.
5. Wir machen _____ große Sorgen um unsere Kinder.
6. Habt ihr _____ das auch gut überlegt?
7. Wasch _____ bitte die Hände, sie sind ganz schmutzig.
8. Ich habe _____ sein Fahrrad für ein paar Tage geliehen.

Le verbe
L'infinitif

Presque tous les verbes à l'infinitif ont une terminaison en -*en* (par ex. *fragen*).
Quelques verbes seulement ont à l'infinitif une terminaison en -*n* (par ex. *sein, tun, erinnern, lächeln*).

L'infinitif sans *zu*

Dans les temps composés (futur, subjonctif II)
Ich werde dich bestimmt besuchen.
Ich würde gern Chinesisch lernen.

Avec les verbes de modalité
Ich muss jetzt gehen.
Ich möchte gern segeln lernen.

Avec les verbes

	lassen, hören, sehen, fühlen	bleiben, gehen, fahren, helfen, lernen
Présent	Ich lasse mir die Haare schneiden. Ich höre sie kommen.	Bleiben Sie bitte sitzen! Ich gehe jetzt einkaufen.
Parfait	*‚haben' + infinitif + infinitif* Ich habe mir die Haare schneiden lassen. Ich habe sie kommen hören.	*‚sein'/‚haben' + participe passé* Ich bin sitzen geblieben. Ich bin einkaufen gegangen. Ich habe surfen gelernt.

Dans les injonctions
Bitte nicht rauchen!
Fenster schließen!

L'infinitif avec *zu*

L'infinitif est généralement introduit par *zu*. Egalement lorsqu'il est complément d'un autre verbe dont les plus importants sont:

anfangen/beginnen	Ich habe angefangen zu lernen.
anbieten	Ich habe ihnen angeboten zu kommen.
aufhören	Es hat aufgehört zu regnen.
beschließen/entscheiden	Wir haben beschlossen zu streiken.
bitten	Ich habe dich nicht gebeten zu helfen.
erlauben	Ich habe dir nicht erlaubt auszugehen*.
sich freuen	Ich freue mich zu kommen.
haben (Angst, Zeit, Lust ...)	Ich habe keine Lust zurückzufahren*.
hoffen	Ich hoffe zu gewinnen.
raten	Ich rate Ihnen zu bleiben.
verbieten	Er hat uns verboten zu rauchen.
vergessen	Ich habe vergessen einzukaufen*.
versprechen	Er hat versprochen zu kommen.
versuchen	Er hat versucht zu schlafen.
vorhaben	Ich habe vor zu fahren.
vorschlagen	Ich schlage vor zu warten.

* Dans les verbes à particule séparable, *zu* s'intercale entre la particule et le verbe

▶ Exercices 1–3   ▶ Subordonnées avec *um ... zu, ohne ... zu, anstatt ... zu*
pages 214–216

L'infinitif substantivé

On peut former un substantif à partir d'un infinitif. Le substantif ainsi formé est du neutre.

Ich habe *das Fehlen* des Passes erst am nächsten Tag bemerkt.
Beim Arbeiten am Computer tun mir nach einer Weile die Augen weh.

1 Infinitif avec ou sans *zu*?

1. Du sollst nicht so laut ___ sprechen.
2. Ich hoffe, Sie bald wieder___sehen.
3. Wir haben schon angefangen ___ kochen.
4. Hören Sie ihn schon ___ kommen?
5. Sehen Sie die Kinder auf der Straße ___ spielen?
6. Du sollst leise ___ sein!
7. Er hat mir angeboten, mit seinem Auto ___ fahren.
8. Warum lassen Sie den alten Fernseher nicht ___ reparieren?
9. Wir werden ganz bestimmt ___ kommen.
10. Mein Vater hat mir verboten, mit dir in Urlaub ___ fahren.
11. Ich helfe dir das Geschirr ___ spülen.
12. Setzen Sie sich doch. – Nein danke, ich bleibe lieber ___ stehen.
13. Er hat nie Zeit, länger mit mir ___ sprechen.
14. Ich gehe nicht gern allein ___ schwimmen.

2 Formez des phrases au présent.

1. Ich – sich vornehmen – pünktlich kommen
   Ich nehme mir vor, pünktlich zu kommen.

2. Wir – nächste Woche – Zeit haben – unsere Freunde besuchen

3. Er – nicht wollen – mitkommen

4. Wir – hoffen – ihn – dazu überreden – noch

5. Leider – er – fast nie – Lust haben – reisen

6. Er – würde – am liebsten – immer zu Hause – bleiben

7. Aber – wir – gehen – gern – Kleidung einkaufen – in Paris

8. Ich – weinen – höre – das Baby

3 Complétez en formant une proposition infinitive.

1. Ich habe keine Angst, *in der Nacht im Park spazieren zu gehen.*

2. Ich habe heute keine Lust, _____

3. Es macht mir Spaß, _____

4. Ich gebe mir viel Mühe, _____

5. Ich zwinge niemanden, _____

6. Ich freue mich darauf, _____

1.7 Le verbe
L'impératif

Emploi

Prière
Kommen Sie bitte hierher!
Leih mir bitte mal dein Wörterbuch!

Conseil
Trink nicht so viel Alkohol!
Geh doch mal wieder schwimmen!

Invitation (à faire qqch.)
Setzen Sie sich doch!
Nimm doch noch ein Stück Kuchen!

Injonction
Macht sofort das Fenster zu!
Geh weg!

On utilise le subjonctif II pour exprimer plus poliment la prière ou le conseil:

Würden Sie bitte hierher kommen?
Könntest du mir bitte mal dein Wörterbuch leihen?
Du solltest nicht so viel Alkohol trinken.
Du solltest mal wieder schwimmen gehen.

▶ *Subjonctif II,* pages 66–69

Formes

	Présent	Impératif
du	du kommst	Komm!
ihr	ihr kommt	Kommt!
Sie	Sie kommen	Kommen Sie!

1 Le verbe

Particularités	du	ihr	Sie

haben, sein, werden

haben	Hab Geduld!	Habt Geduld!	Haben Sie Geduld!
sein	Sei leise!	Seid leise!	Seien Sie leise!
werden	Werd(e) glücklich!	Werdet glücklich!	Werden Sie glücklich!

Verbes irréguliers avec changement de voyelle e/i

lesen	Lies den Text!	Lest den Text!	Lesen Sie den Text!
essen	Iss langsamer!	Esst langsamer!	Essen Sie langsamer!

Verbes irréguliers avec inflexion ä au singulier

laufen	Lauf schneller!	Lauft schneller!	Laufen Sie schneller!
fahren	Fahr nach Hause!	Fahrt nach Hause!	Fahren Sie nach Hause!
schlafen	Schlaf nicht so lange!	Schlaft nicht so lange!	Schlafen Sie nicht so lange!

Verbes terminés par -eln, -ern

klingeln	Klingle zwei Mal!	Klingelt zwei Mal!	Klingeln Sie zwei Mal!
ändern	Änd(e)re nichts!	Ändert nichts!	Ändern Sie nichts!

▶ Exercices 1–5

1 Formez des phrases à l'impératif au singulier (*du*) et au pluriel (*ihr*).

leise sein   das Fenster zumachen   ~~den Text vorlesen~~

die Regel aufschreiben   lauter sprechen   das Buch aufschlagen

im Wörterbuch nachsehen   die Bücher schließen   an die Tafel kommen

Was sagt Ihr Lehrer?

du	*ihr*
Lies den Text vor!	*Lest den Text vor!*
...	...

2 Ecrivez le verbe à l'impératif, au singulier ou au pluriel.

1. _____ mich doch mal besuchen!	kommen/Singular
2. _____ keine Angst!	haben/Plural
3. _____ doch ein bisschen leiser!	sein/Plural
4. _____ bitte lauter, ich verstehe dich so schlecht!	sprechen
5. _____ bitte in der Pause die Fenster!	öffnen/Plural
6. _____ mir bitte mal schnell den Stift dort!	geben/Singular
7. _____ doch nicht so ungeduldig!	sein/Singular
8. _____ die Badesachen nicht!	vergessen/Plural
9. _____ doch Rücksicht auf deine Schwester!	nehmen
10. _____ mir, wenn ich dich etwas frage!	antworten

3 Verbes à particule séparable: écrivez le verbe à l'impératif singulier (*du*).

1. _____ bitte das Fenster ___ .	zumachen
2. _____ doch ___ !	aufpassen
3. _____ doch nicht immer vor dem Fernseher ___ !	einschlafen
4. _____ endlich ___ !	anfangen
5. _____ bitte das Geschirr ___ !	abtrocknen
6. _____ bitte ___ !	mitkommen
7. _____ deine Spielsachen ___ !	aufräumen
8. _____ ihn doch mal zum Abendessen ___ !	einladen
9. _____ sie bitte vom Kindergarten ___ !	abholen
10. _____ den roten Pullover ___ !	mitnehmen

4 Verbes réfléchis: écrivez la forme de l'impératif au singulier, au pluriel, ou avec le pronom *Sie* de la forme de politesse.

▶ *Verbes réfléchis*, voir pages 50–52

1. _____ ein bisschen, der Zug fährt gleich ab!
   (sich beeilen/Plural)

2. _____ bitte nach den Zugverbindungen!
   (sich erkundigen/Sie)

3. _____ endlich!
   (sich entscheiden/Singular)

4. _____ doch! Bald ist Weihnachten!
   (sich freuen/Plural)

5. _____ nicht, ich kann das allein erledigen!
   (sich bemühen/Sie)

6. _____ doch nicht dauernd, anderen Menschen geht es viel
   schlechter als dir!
   (sich beklagen/Singular)

5 Transposez les phrases à l'impératif, 2e personne du singulier et 2e personne du pluriel.

Conseils pour les vacances

1. Lassen Sie Ihre Probleme zu Hause!
   Lass deine Probleme zu Hause!
   Lasst eure Probleme zu Hause!

2. Liegen Sie nie lange ohne Sonnenschutz in der Sonne!

3. Nehmen Sie nicht viel Geld mit an den Strand!

4. Vergessen Sie Ihre Arbeit!

5. Schlafen Sie viel!

6. Erholen Sie sich gut!

1.8 Le verbe
Le passif

Emploi

Actif : on met l'accent sur la personne qui fait l'action
- ■ Was ist denn das für ein Lärm?
- ● Die Nachbarn bauen eine Garage.

Passif : on met l'accent sur l'action, l'événement
- ■ Was ist denn das für eine Baustelle?
- ● Hier wird eine neue Autobahn gebaut.

Le passif sans complément d'agent

Hier wird eine neue Autobahn gebaut.

L'action est au centre de l'information. La personne qui fait l'action (agent) est soit du domaine public, soit inconnue, soit sans importance pour l'information.

(Es wurde dem Verletzten sofort geholfen.)
→ Dem Verletzten wurde sofort geholfen.

Avec les verbes suivis du datif, le mot *es* en première position peut remplacer le sujet. Il est préférable, d'un point de vue stylistique, de ne pas employer *es;* un autre membre de phrase se trouve alors en première position.

▶ *Verbes suivis du datif,* page 195

Le passif avec complément d'agent

,von' + datif
Diese Schauspielerin wurde von allen bewundert.
Die Frau wurde von einem Auto angefahren.

,durch' + accusatif
Die Nachricht wurde ihr durch den Boten überbracht.
Der Patient wurde durch eine Operation gerettet.

L'agent, quand il est une personne directe ou une chose directement à l'origine de l'action, est introduit par la préposition *von;* quand il exprime un intermédiaire – personne ou chose indirecte – il est introduit par la préposition *durch.*

Formes

On forme le passif à l'aide de *werden* + participe passé.

Présent	Hier	wird	eine neue Autobahn	gebaut.
Prétérit		wurde		gebaut.
Parfait		ist		gebaut worden.
Plus-que-parfait		war		gebaut worden.

▶ Formes de *werden* voir page 11

Le passif avec les verbes de modalité

Présent	Die Küche	muss	aufgeräumt werden.
Prétérit		musste	

Le parfait et le plus-que-parfait sont rarement employés lorsqu'ils sont liés aux verbes de modalité.

▶ *Verbes de modalité,* voir pages 12–15

Le passif dans la proposition subordonnée

Présent	Ich weiß, dass hier eine neue Autobahn	gebaut wird.
Prétérit		gebaut wurde.
Parfait		gebaut worden ist.
Plus-que-parfait		gebaut worden war.

avec les verbes de modalité

Présent	Ich weiß, dass die Küche	aufgeräumt werden muss.
Prétérit	Ich wusste, dass die Küche	aufgeräumt werden musste.

▶ Exercices 1–10

1 Complétez les phrases en écrivant les formes correctes de *werden*.

1. Hier _wird_ eine Kirche gebaut. (Präsens)
2. Wir _____ nicht gefragt, ob wir mitkommen wollten. (Präteritum)
3. In diesem Restaurant _____ ich immer freundlich bedient _____ (Perfekt)
4. Warum _____ in deiner Firma niemand mehr eingestellt? (Präsens)
5. Hoffentlich _____ ihr nicht in eine andere Abteilung versetzt. (Präsens)
6. Als ich endlich den Supermarkt gefunden hatte, _____ er gerade geschlossen. (Präteritum)
7. In meinem neuen Job _____ ich sehr gut bezahlt. (Präsens)
8. Mein Großvater musste in seinem Leben immer hart arbeiten. Ihm _____ nichts geschenkt. (Präteritum)
9. An der Grenze _____ unser Gepäck genau kontrolliert _____ . (Perfekt)

2 Présent: formez des phrases au passif.

Wie zerstören die Menschen die Umwelt?

1. die Natur – schädigen
   Die Natur wird geschädigt.
2. die Flüsse – durch Chemikalien – vergiften
3. die Landschaft – mit Häusern – vollbauen
4. zu viel Müll – es – produzieren
5. die Wälder – zerstören
6. die Rohstoffe – verschwenden

3 Présent: transformez les phrases de l'exercice 2 en utilisant le verbe de modalité *sollen* + *nicht noch mehr*.

Was fordern die Umweltschützer?

1. *Die Natur soll nicht noch mehr geschädigt werden.*
…

4 Prétérit: Formez des phrases au passif.

1. Meine Wohnung war unordentlich.
   Meine Wohnung musste aufgeräumt werden.
2. Im Text waren noch viele Fehler.
3. Ich habe die Rechnung bekommen.
4. Meine Großeltern sind am Bahnhof angekommen.
5. Der Fahrradfahrer war leicht verletzt.

6. Mein Fernsehapparat war kaputt.
7. Die Papiere waren durcheinander.
8. Das ganze Geschirr war schmutzig.

aufräumen müssen

korrigieren müssen
bezahlen müssen
abholen müssen
ins Krankenhaus bringen müssen
reparieren müssen
ordnen müssen
spülen müssen

5 Complétez les phrases en écrivant les verbes aux temps indiqués du passif.

Der Mann _____ bei dem Unfall so   verletzen/plus-que-parfait

schwer _____ _____ , dass er sofort

in ein Krankenhaus _____ _____   einliefern müssen/prétérit

_____ . Dort _____ er gründlich   untersuchen/prétérit

_____ und dabei _____ , dass er   feststellen/prétérit

sofort _____ _____ _____   operieren müssen/présent

Nachdem er drei Wochen im Krankenhaus

_____ _____ _____ ,   behandeln/plus-que-parfait

_____ er _____ _____ .   entlassen können/prétérit

Zu Hause _____ er noch einige Wochen   versorgen/prétérit

von seinem Hausarzt _____ .

6 Que faut-il faire ici? Que peut-on faire ici?
Que ne doit-on pas faire ici?

1. *Die Baustelle darf nicht betreten werden.*

2. *Hier ...*

3.

4.

5.

6.

7 Reprenez les phrases de l'exercice 6
et transformez-les en propositions subordonnées au passif.

1. Ich weiß, dass *die Baustelle nicht betreten werden darf.*
...

8 Formez des subordonnées au passif.

1. Man isst in Bayern so viel Schweinefleisch.

   Ich möchte gern wissen, warum *in Bayern so viel Schweinefleisch gegessen wird.*

2. Man schenkt den Kindern Kriegsspielzeug.

3. Man kann die militärische Aufrüstung nicht beenden.

4. Man erzieht die Kinder nicht zu mehr Toleranz.

5. Man achtet die Rechte der Minderheiten nicht.

6. Man muss bei Smog das Auto nicht zu Hause lassen.

9 Complétez en utisant *von* ou *durch*.

1. Der Frosch wurde _____ der Prinzessin geküsst.

2. _____ das Feuer wurde großer Schaden verursacht.

3. Diese Frage wurde mir noch _____ niemandem gestellt.

4. Die Maus wurde _____ Gift getötet.

5. Der Baum wurde _____ einem Blitz getroffen.

6. Die Qualität der Artikel wurde _____ ein neues Produktionsverfahren sehr verbessert.

10 Parfait: à partir des titres de journaux suivants, formez des phrases complètes en utilisant la forme passive.

1. Unfall auf der Autobahn: 8 Menschen schwer verletzt
   Bei einem Unfall auf der Autobahn sind 8 Menschen schwer verletzt worden.

2. Sturm: 4 Autos von umgefallenen Bäumen beschädigt

3. Ferrari nachts im Zentrum gestohlen

4. Neues Schwimmbad von Bürgermeister eröffnet

5. Banküberfall in der Kantstraße

6. Entführtes Kind gefunden

1.9 Le Verbe
Le subjonctif II

Emploi

La demande courtoise – la prière

Herr Ober, | ich möchte bitte noch ein Bier.
| würden Sie mir bitte die Speisekarte bringen?
| könnten wir bitte noch etwas Brot bekommen?
| ich hätte gern noch einen Kaffee.

Ces phrases ont une intonation très polie. On les utilise surtout en liaison avec le pronom *Sie* de la forme de politesse. Avec le pronom *du,* on peut tout aussi bien dire:

Hilfst du mir bitte?
Hilfst du mir mal?
Kannst du mir helfen?

Parfois tous ces éléments apparaissent en même temps:

Kannst du mir bitte mal helfen?

La condition irréelle / la possibilité

Présent ▪ Kommen Sie am Samstag zu meiner Geburtstagsparty?

réel ● Wenn ich Zeit habe, komme ich gern. Ich rufe Sie morgen an und gebe Ihnen Bescheid. [= *peut-être*]

irréel ● Vielen Dank für die Einladung. Wenn ich Zeit hätte, würde (= non) ich sehr gerne kommen. Aber leider fahre ich am Wochenende weg.

Passé ▪ Hast du gestern Abend das Spiel Bayern München gegen Werder Bremen gesehen?

réel ● Ja, natürlich hab' ich es gesehen.

irréel ● Nein, leider nicht. Ich musste länger arbeiten. Wenn ich (= non) Zeit gehabt hätte, hätte ich es natürlich angeschaut.

Le souhait irréel (la réalisation semble incertaine ou impossible)

Réalité   Ich habe kein Geld dabei.

Souhait   Wenn ich **doch** mein Geld mitgenommen hätte!
Hätte ich **doch** mein Geld mitgenommen!

Le conseil / la proposition

■ An deiner Stelle würde ich mir vor der langen Fahrt noch etwas zu essen kaufen.

ou

■ Du solltest dir vor der langen Fahrt noch etwas zu essen kaufen.

● Nein, das ist nicht nötig, ich habe viel gefrühstückt.

■ Wir haben noch eine halbe Stunde Zeit, bis der Zug abfährt. Wir könnten doch noch einen Kaffee trinken gehen.

● Ja, gute Idee!

La comparaison avec ‚als ob‘

Er ist faul, aber er tut so, als ob er arbeiten würde.

Passif et subjonctif II

Présent
    würde + participe passé
Dieses Haus würde leicht verkauft, wenn der Preis nicht so hoch wäre.
Réalité: elle ne se vend pas facilement parce qu'elle est trop chère.

Passé
    wäre/ hätte + participe passé + *worden*
Dieses Haus wäre leicht verkauft worden, wenn der Preis nicht so hoch gewesen wäre.
Réalité: elle ne s'est pas vendue parce qu'elle était trop chère.

Subjonctif II et verbes de modalité

Présent
    Du solltest mehr schlafen.
Réalité: tu as l'air fatigué.

Passé
    Proposition principale (*hätte* + infinitif + infinitif)
Ich hätte länger schlafen sollen.
Réalité: je me suis levé trop tôt.

    Proposition principale + proposition subordonnée
Wenn ich heute nicht so früh hätte aufstehen müssen, wäre ich jetzt nicht so müde.
Réalité: je suis très fatigué parce que j'ai dû me lever très tôt.

Ich hätte länger schlafen sollen!

Formes

Présent | *pour la plupart des verbes ‚würde' + infinitif*

ich	würde	fragen
du	würdest	fragen
er, sie, es	würde	fragen
wir	würden	fragen
ihr	würdet	fragen
sie, Sie	würden	fragen

sans ‚würde' pour les verbes de base et quelques autres

Infinitif	Subjonctif II
haben	ich hätte
sein	ich wäre
werden	ich würde
wollen	ich wollte
sollen	ich sollte
müssen	ich müsste
dürfen	ich dürfte
können	ich könnte
mögen	ich möchte
lassen	ich ließe
kommen	ich käme
gehen	ich ginge
wissen	ich wüsste
brauchen	ich bräuchte
geben	ich gäbe

Passé | *‚hätte'/‚wäre' + participe passé*

	à l'indicatif trois formes de passé	au subjonctif II une forme de passé
Prétérit	ich kaufte	ich hätte gekauft
	ich kam	ich wäre gekommen
Parfait	ich habe gekauft	
	ich bin gekommen	
Plus-que-parfait	ich hatte gekauft	
	ich war gekommen	

▶ Exercices 1–21

1 Prétérit de l'indicatif et subjonctif II: complétez..

1.	haben	du	*hattest*	du	*hättest*	
2.	können	sie	_____	sie	_____	
3.	müssen	ihr	_____	ihr	_____	
4.	sollen	Sie	_____	Sie	_____	
5.	werden	er	_____	er	_____	
6.	dürfen	wir	_____	wir	_____	
7.	wollen	ich	_____	ich	_____	
8.	sein	sie (Pl.)	_____	sie (Pl.)	_____	
9.	mögen	es	_____	es	_____	
10.	gehen	ich	_____	ich	_____	
11.	lassen	er	_____	er	_____	
12.	geben	es	_____	es	_____	
13.	brauchen	du	_____	du	_____	
14.	wissen	wir	_____	wir	_____	
15.	kommen	ich	_____	ich	_____	

2 Complétez les phrases.

1. er – sich Zeit nehmen
   Ich würde mich freuen, *wenn er sich mehr Zeit nehmen würde.* _____
2. sie (pl.) – mehr Geduld haben
   Es wäre schön, _____
3. du – mich in Ruhe lassen
   Ich wäre dir dankbar, _____
4. er – mit mir mehr Abende verbringen
   Es wäre toll, _____
5. ich – nicht so viel arbeiten müssen
   Ich wäre froh, _____
6. du – abends früher nach Hause kommen
   Es wäre schön, _____
7. wir – häufiger ins Theater gehen
   Ich würde mich freuen, _____
8. ihr – noch etwas länger bleiben
   Es wäre schön, _____

3 Subjonctif II: complétez en écrivant les verbes au passé.

1. Wenn er doch _gekommen wäre_ !
2. Ich _____ das nicht _____ .
3. Wir _____ nie _____ .
4. Sie _____ uns bestimmt nicht _____ .
5. Ihr _____ die Straße ohne Stadtplan nie _____ .
6. Sie (Pl.) _____ gern nach Amerika _____ .
7. Er _____ sicher mit dir _____ _____ .
8. Ich _____ dir das schon noch _____ .

kommen
tun
mitkommen
besuchen
finden
fliegen
spazieren gehen
erzählen

4 Transformez la lettre suivante en l'écrivant plus courtoisement et en utilisant le pronom *Sie* de la forme de politesse.

Liebe Angela,

wie geht es dir? Wie ist denn deine neue Arbeitsstelle? Hast du nette Kollegen?

Ich habe eine große Bitte. Du weißt doch, ich bin im Juli und August in Berlin. Ich möchte dort einen Sprachkurs besuchen. Leider weiß ich noch nicht, an welcher Schule, und ich habe noch keine Wohnmöglichkeit. Hilfst du mir?

Vielleicht kannst du mal deine Freunde und Bekannten fragen, ob jemand in dieser Zeit ein Zimmer vermietet. Und fragst du bitte an einigen Sprachschulen in Berlin nach den Preisen und Kursdaten? Kannst du mir vielleicht vorher einige Prospekte schicken? Dann kann ich mich nämlich rechtzeitig an einer Schule anmelden.

Darf ich dich zum Schluss noch um einen anderen Gefallen bitten? Du weißt ja, ich war noch nie in Berlin und komme mit viel Gepäck. Holst du mich bitte am Flughafen ab? Dafür koche ich für dich in Berlin ein typisch brasilianisches Essen.

Vielen Dank für deine Hilfe. Ich freue mich auf unser Wiedersehen in Deutschland.

Viele Grüße   *Benedita*

Écrivez comme suit:

Sehr geehrte Frau Müller,

wie geht es Ihnen? Wie ist denn Ihre neue Arbeitsstelle? Haben Sie nette Kollegen?

Ich hätte eine große Bitte. ...

5 Ecrivez les phrases de façon plus courtoise.

1. Gib mir bitte Feuer. (2 possibilités)
   Würdest du mir bitte Feuer geben?
   Könntest du mir bitte Feuer geben?
2. Darf ich mir Ihren Bleistift leihen?
3. Halten Sie bitte einen Moment meinen Mantel? (2 possibilités)
4. Sagen Sie mir, wie ich zum Bahnhof komme? (2 possibilités)
5. Kann ich Sie schnell etwas fragen?
6. Geben Sie mir ein Glas Wasser? (2 possibilités)
7. Mach bitte das Fenster zu. (2 possibilités)
8. Darf ich Sie bitten, das Radio leiser zu stellen?

7 Transformez les phrases en commençant chaque fois par: *Ich wäre froh, wenn ich …*

1. so gut Deutsch sprechen können wie du
2. eine so große Wohnung haben wie ihr
3. Goethe auf Deutsch lesen können
4. jedes Jahr drei Monate Urlaub machen können
5. länger bleiben dürfen
6. zu Fuß zur Arbeit gehen können
7. nicht jeden Tag mit dem Auto fahren müssen
8. so viel Geduld haben wie Sie

A vous maintenant! Ecrivez 5 phrases.

6 A chaque phrase de la première liste correspond une phrase dans la deuxième. Retrouvez le bon ordre.

1. Wenn ich mehr Fremdsprachen könnte,
2. Wenn ich mehr Geld mitgenommen hätte,
3. Ich hätte die Prüfung bestanden,
4. Das Problem wäre gar nicht entstanden,
5. Wenn du nicht so langsam gegangen wärest,
6. Ich wäre gern in dieses Konzert gegangen,

a wenn Sie mich vorher gefragt hätten.
b hätten wir den Zug sicher erreicht.
c wenn es noch Karten gegeben hätte.
d würde ich dich jetzt zum Essen einladen.
e hätte ich diesen Job bekommen.
f wenn sie mir nicht so schwierige Fragen gestellt hätten.

1	
2	
3	
4	
5	
6	

8 Subjonctif II: complétez en écrivant les verbes à la forme qui convient.

Wenn mein Vater der Scheich von Shambala _wäre_ ,	sein
_____ ich in weichen Betten _____ . Ich	schlafen können
_____ den ganzen Tag mit meinen Freundinnen	spielen
_____ und _____ meiner Mutter nicht immer in	brauchen
der Küche zu helfen. Sie _____ viele Angestellte für die	haben
Hausarbeit. Natürlich _____ mich auch ein Chauffeur in	fahren
die Schule _____ , und ich _____ nicht mehr zu	müssen
Fuß gehen. Außerdem _____ ich viele wunderschöne	haben
Kleider. Sicher _____ ich den ganzen Tag machen, was	dürfen
ich will. Aber vielleicht _____ das auch sehr langweilig.	sein
Ich _____ wahrscheinlich nicht mehr mit meinen	dürfen
Freundinnen auf der Straße spielen und _____ immer	müssen
aufpassen, dass ich mich nicht schmutzig mache. Vielleicht	
_____ ein Leben als Prinzessin doch nicht so schön.	sein

9 Que feriez-vous si ...?
Que se passerait-il si ...?

1. Wenn ich im Lotto gewinnen würde, würde ich ...

2. Wenn ich als Kind bei den Eskimos gelebt hätte, ...

3. Wenn Hunde sprechen könnten, ...

4. Wenn ich die Königin von England wäre, ...

5. Wenn ich nicht so faul wäre, ...

6. Wenn ich im letzten Jahrhundert geboren wäre, ...

10 Où préféreriez-vous passer vos vacances? Qu'y feriez-vous?

Ich würde nach ... fahren. Dort würde ich dann ...

11 Complétez les phrases suivantes.

Paul ist mit seinem Leben nicht zufrieden.

1. Er ist Automechaniker,
   aber er wäre gern Rennfahrer.
2. Er verdient zu wenig,

   _____
   (mehr verdienen)
3. Er wohnt in Audorf,

   _____
   (Hamburg)
4. Er muss früh aufstehen,

   _____
   (lange schlafen)
5. Er hat nur einen Kleinwagen,

   _____
   (Ferrari)
6. Er arbeitet in einer kleinen Firma,

   _____
   (in einer großen Firma arbeiten)

12 Exprimez des souhaits.

Sie haben mit 17 Jahren bei einem Preisausschreiben ein tolles Auto gewonnen. Was wünschen Sie sich?

Wenn ich doch schon meinen Führerschein hätte!
Hätte ich doch schon meinen Führerschein!

1. Sie haben in der Nacht die letzte U-Bahn verpasst.
2. Ihr Traummann/Ihre Traumfrau lädt Sie zum Abendessen ein.
3. Sie landen mit Ihrer Deutschlehrerin nach einem Schiffsunglück auf einer einsamen Insel.
4. Sie bleiben im Lift eines Hochhauses stecken.

13 On sait toujours mieux après coup!

1. Sie stehen mit dem Auto im Stau. (U-Bahn fahren)
   Wäre ich doch mit der U-Bahn gefahren!
2. Sie hatten einen Ehekrach. (nie heiraten)
3. Das Hotel ist sehr schlecht. (besseres Hotel buchen)
4. Du hast eine Erkältung bekommen. (wärmer anziehen)
5. Sie haben Ihren Zug verpasst. (früher aufstehen)
6. Sie machen einen Spaziergang. Plötzlich beginnt es zu regnen. (Regenschirm mitnehmen)

14 Complétez les phrases suivantes.

Petra möchte ihr Aussehen verändern und bittet ihre Freundin Anna um Rat. Was sagt Anna? Beginnen Sie mit:

An deiner Stelle würde ich ...
Du könntest doch ...
Vielleicht solltest du ...
Du müsstest mal ...

1. *Du müsstest mal zu einem besseren Frisör gehen.*
2. Schmuck tragen
3. einen Minirock anziehen
4. lebendige Farben tragen
5. modische Schuhe anziehen
6. ein bisschen Make-up benutzen

Quels conseils donneriez-vous à Petra? Ecrivez un petit texte.
An ihrer Stelle würde ich ... . Außerdem ...

15 L'école idéale.

Was würden Sie anders machen, wenn
Sie Direktor Ihrer Schule wären?
Machen Sie Vorschläge.

> *Wenn ich Direktor dieser Schule wäre,*
> *würde ich in jeder Pause Getränke*
> *servieren.*
> ou
> *An seiner Stelle würde ich in jeder*
> *Pause Getränke servieren.*

16 Les auditeurs ont la parole sur Radio Weltweit: les psychologues donnent des conseils.

Monsieur A:
Meine Freundin hat mich drei
Wochen vor der Hochzeit verlassen.
Ich bin so unglücklich und kann
an nichts anderes mehr denken.
Das Leben hat keinen Sinn mehr
für mich.

Réponse du Dr. Schlau:
An Ihrer Stelle wäre ich froh, dass
Ihnen das vor der Hochzeit und nicht
danach passiert ist. Sie sollten jetzt
vielleicht eine Reise machen mit einem
guten Freund, damit Sie wieder auf
andere Gedanken kommen.

A vous maintenant de jouer au/à la psychologue et de donner des conseils. Utilisez
aussi les formes: *An Ihrer Stelle … / Sie sollten … / Sie könnten … / Sie müssten …*

1. *Britta (16 Jahre):* Jeden Tag auf dem Weg zur Schule treffe ich im Zug einen sehr
   gut aussehenden Jungen. Er schaut mich immer an, aber er sagt nie etwas zu
   mir. Wie kann ich mit ihm in Kontakt kommen?

2. *Frau B. (60 Jahre):* Ich lebe allein, seit mein Mann vor ein paar Jahren plötzlich
   gestorben ist. Leider habe ich nur wenig Bekannte und bin sehr einsam. Wie
   kann ich in meinem Alter andere Menschen kennen lernen?

3. *Hans (16 Jahre):* Ich will mit der Schule aufhören, weil ich endlich eine
   Ausbildung als Automechaniker anfangen möchte. Meine Eltern erlauben das
   nicht und wollen mich zwingen, weiter zur Schule zu gehen und das Abitur zu
   machen. Wie kann ich sie überzeugen?

17 Complétez les phrases suivantes.

Heinrich möchte allen Frauen gefallen. Er tut immer so, als ob er der tollste
Typ der Welt wäre, aber in Wirklichkeit ist er ganz anders.

1. Er hat nie Geld. *Aber er tut so, als ob er viel Geld hätte.*
2. Er kann nicht kochen. _____
3. Er ist ziemlich ängstlich. _____
4. Er ist nicht besonders intelligent. _____
5. Er ist normalerweise unhöflich. _____
6. Er hat wenig Freunde. _____

18 Complétez les phrases suivantes.

1. Es sieht so aus, *als ob es bald*   bald regnen
    regnen würde.
2. Du siehst so aus, …   die ganze Nacht nicht geschlafen
3. Es sieht so aus, …   wir müssen die Grammatik wiederholen
4. Sie sieht so aus, …   abgenommen haben
5. Die Kleine sieht so aus, …   krank sein
6. Du siehst so aus, …   müde sein

19 Complétez par *würde, hätte* ou *wäre* à la forme qui convient.

1. _Würden_ Sie mir bitte einen Gefallen tun? Sagen Sie Herrn Fischer, dass ich
    morgen etwas später komme.
2. _____ Sie einen Moment Zeit für mich? Ich _____ gern etwas mit
    Ihnen besprechen.
3. Wie _____ es, wenn wir nach dem Theater noch ein Glas Wein zusammen
    trinken _____ ?
4. Mein Sohn _____ auch sehr gern mitgekommen. Aber leider ist er sehr
    erkältet.
5. Ich _____ noch eine Bitte. _____ Sie mich bitte kurz anrufen, wenn
    Herr Wagner zurück ist?
6. Das _____ du doch nicht allein machen müssen! Ich _____ dir schon
    geholfen.
7. Ich _____ dann gegen acht Uhr bei Ihnen. Ist Ihnen das recht?
8. _____ ihr mir bitte helfen?

20 Subjonctif II ou indicatif: complétez en inscrivant les verbes au mode qui convient.

1. Ich würde dir helfen, wenn ich Zeit _____ .

2. An Ihrer Stelle _____ ich es mir nochmal überlegen.

3. Wenn du Zeit _____ , komm doch mit!

4. _____ ich doch nichts gesagt!

5. Sie _____ etwas früher kommen sollen.

6. Es _____ besser, wenn Sie ihn mal anrufen _____ .

7. Was _____ geschehen, wenn sie ‚ja' gesagt _____ ?

8. Wenn er krank _____ , kann er nicht mitkommen.

9. Was _____ du machen, wenn du jetzt nicht in Deutschland _____ ?

10. Hättest du das auch getan? – Nein, das _____ ich wirklich nie getan!

21 Retrouvez dans les deux listes les phrases qui vont ensemble.

1	2	3	4	5	6	7	8

1. Du siehst müde aus.
2. Wenn Sie noch Fragen haben,
3. Ich würde mich sehr freuen,
4. Der neue Film von Spielberg ist super!
5. Papa, warum muss ich jetzt schon ins Bett?
6. Wenn ich könnte,
7. Soll ich den Brief gleich zur Post bringen?
8. Er tut nur so,

a Oh ja, das wäre sehr nett!
b als ob er nichts verstanden hätte.
c Weil wir morgen früh aufstehen müssen.
d Vielleicht solltest du ins Bett gehen.
e rufen Sie mich einfach an.
f Den solltest du dir auch anschauen.
g wenn Ihre Frau auch mitkäme.
h würde ich jetzt auch gern in Urlaub fahren.

1.10 Le Verbe
Le discours indirect

Dans la langue parlée, le discours indirect s'exprime la plupart du temps à l'aide de l'indicatif. Dans les textes officiels, particulièrement dans les articles de journaux, on trouve fréquemment le subjonctif I pour exprimer le discours indirect.

	Discours direct	*Discours indirect*
Indicatif	„Ich habe heute keine Zeit.“	Er sagt, dass er heute keine Zeit hat.
Subjonctif I	„Ich nehme an der Konferenz teil.“	Der Politiker sagte, er nehme an der Konferenz teil.
	„Ich bin mit den Ergebnissen zufrieden.“	Der Politiker sagte, er sei mit den Ergebnissen zufrieden.
	„Ich habe das nicht gewusst.“	Der Politiker sagte, er habe das nicht gewusst.

Lorsque la forme verbale du subjonctif I est identique à celle de l'indicatif, on emploie alors la forme correspondante du subjonctif II.

Autres particularités du discours indirect

- La phrase introductive comporte toujours un verbe déclaratif (*sagen, meinen, behaupten, berichten, erzählen, fragen ...*).

- Elle est suivie d'une subordonnée introduite par *dass* (rejet du verbe en position finale) ou d'une autre proposition principale (verbe en deuxième position).

- Le pronom personnel du discours direct change dans le discours indirect (ich → er/sie; wir → sie; Sie → ich/wir).

- Phrase interrogative:
  discours direct   *discours indirect*
  „Wann kommst du?“   Sie hat gefragt, wann ich komme.
  „Kommst du heute?“   Sie hat gefragt, ob ich heute komme.

▶ *Phrases interrogatives,* voir pages 144, 201, 209

1.11 Le Verbe
Les verbes avec prépositions

■ *Worüber* regst du dich denn so auf?
● *Über* mein Auto. Es geht schon wieder nicht.
■ *Darüber* brauchst du dich doch wirklich nicht so
aufzuregen. Vielleicht kann dir mein Mann helfen.
Er versteht viel *von* Autos.

Vue d'ensemble

Datif	Accusatif	Prépositions mixtes
aus	durch	in
bei	für	an
mit	gegen	auf
nach	ohne	unter
seit	um	über
von		vor
zu		hinter
		neben
		zwischen

Datif

Ich diskutiere gern *mit* meinem Lehrer.
Ich gratuliere dir ganz herzlich *zum* Geburtstag.

Accusatif

Ich interessiere mich sehr *für* die deutsche Literatur.
Er kümmert sich jeden Tag *um* seine kranken Eltern.

*Certains verbes construits avec des prépositions normalement
mixtes imposent un cas obligatoire qu'il faut donc apprendre
en même temps que le verbe:*

Ich denke *an* dich.   *denken an* + acc.
Er leidet *an* einer schweren Krankheit.   *leiden an* + dat.

79

Avec un nom ou un pronom

Personne (préposition + pronom)
- ■ *Auf wen* wartest du denn?
- ● Auf Franz.
- ■ Ich warte auch schon seit zwei Stunden *auf ihn.*

Chose (‚wo-'/‚da-' + préposition)
- ■ *Worüber* sprecht ihr gerade?
- ● Über den Film gestern Abend.
- ■ Den habe ich auch gesehen. *Darüber* wollte ich auch mit euch sprechen.

Avec une proposition infinitive et une proposition subordonnée

‚da-' annonce la proposition subordonnée qui suit
- ■ Warum bist du denn so nervös?
- ● Ach, ich freue mich so sehr *darauf,* meinen Freund endlich wiederzusehen. Er kommt am nächsten Wochenende.

- ■ Wo warst du denn gestern Abend?
- ● Oh, entschuldige bitte! Ich habe nicht mehr *daran* gedacht, dass wir uns ja treffen wollten. Das tut mir wirklich Leid.

‚da-' renvoie à l'information donnée dans la phrase/le texte précédent
- ■ Am nächsten Wochenende bekomme ich Besuch. Ich freue mich schon so sehr *darauf.*

▶ *Prépositions*, voir page 160

Liste des principaux verbes avec prépositions

abhängig sein	von	Er ist noch finanziell abhängig von seinen Eltern.
es hängt ab	von	Es hängt vom Wetter ab, ob wir morgen Ski fahren oder nicht.
achten	auf + acc.	Achten Sie bitte auf die Stufen!
anfangen	mit	Wir fangen jetzt mit dem Essen an.
sich ärgern	über + acc.	Ich ärgere mich immer über die laute Musik meines Nachbarn.
aufhören	mit	Hör jetzt bitte mit dem Lärm auf!
aufpassen	auf + acc.	Könnten Sie bitte einen Moment auf mein Gepäck aufpassen?
sich aufregen	über + acc.	Sie hat sich sehr über diese schlechten Nachrichten aufgeregt.
sich bedanken	bei	Hast du dich schon bei Oma für das Geschenk bedankt?
	für	
beginnen	mit	Wir beginnen jetzt mit dem Unterricht.
sich bemühen	um	Er bemüht sich um einen Studienplatz in den USA.
berichten	über + acc.	Um 17 Uhr berichten wir wieder über das Fußballspiel.
sich beschäftigen	mit	Er beschäftigt sich sehr viel mit seinen Kindern.
sich beschweren	bei	Ich habe mich beim Kellner über das kalte Essen beschwert.
	über + acc.	
bestehen	aus	Diese Geschichte besteht aus zwei Teilen.
sich bewerben	um	Er hat sich um eine Arbeit bei Siemens beworben.
sich beziehen	auf + acc.	Ich beziehe mich auf unser Telefongespräch vom 12.4.
jdn. bitten	um	Ich bitte dich um einen Rat.
jdm. danken	für	Ich danke Ihnen für die schönen Blumen.
denken	an + acc.	Ich denke immer nur an dich.
	über + acc.	Was denken Sie über die deutsche Außenpolitik?
diskutieren	mit	Mit Hans diskutiere ich immer über Politik.
	über + acc.	

jdn. einladen	zu	Ich lade Sie zu meiner Geburtstagsparty am Samstag ein.
sich entscheiden	für	Ich habe mich für diesen Pullover entschieden.
sich entschuldigen	bei für	Sie hat sich bei ihrer Kollegin für den Irrtum entschuldigt.
sich erholen	von	Ich habe mich noch nicht von dieser Krankheit erholt.
sich erinnern	an + acc.	Ich erinnere mich gern an meine Kindheit.
jdn. erinnern	an + acc.	Erinnern Sie mich bitte an meine Tasche. Sie liegt hier.
jdn. erkennen	an + dat.	Ich habe dich an der Stimme erkannt.
sich erkundigen	bei nach	Sie hat sich beim Passanten nach dem Weg erkundigt.
erzählen	von	Erzählen Sie mir ein bisschen von Ihrer Reise.
jdn. fragen	nach	Fragen Sie doch den Polizisten dort nach dem Weg.
sich freuen	auf + acc.	Ich freue mich auf meinen Urlaub nächste Woche.
	über + acc.	Wir haben uns sehr über euren Besuch gefreut.
gehören	zu	Dies gehört nicht zu meinen Aufgaben.
sich gewöhnen	an + acc.	Langsam gewöhne ich mich an das feuchte Klima hier.
gratulieren	zu	Ich gratuliere dir herzlich zum Geburtstag.
jdn. halten	für	Ich halte ihn für einen guten Menschen.
etwas halten	von	Ich halte nichts von diesem Vorschlag.
hoffen	auf + acc.	Wir hoffen auf besseres Wetter.
sich interessieren	für	Ich interessiere mich sehr für Philosophie.
klagen	über + acc.	Er klagt oft über Kopfschmerzen. Er sollte mal zum Arzt gehen.
sich konzentrieren	auf + acc.	Ich kann mich heute nicht auf meine Arbeit konzentrieren.
sich kümmern	um	Sie kümmert sich immer sehr um ihre Gäste.
lachen	über + acc.	Warum lachst du über diesen dummen Witz?

leiden	an + dat.	Er leidet an Bluthochdruck.
	unter +dat.	Ich leide sehr unter dem Lärm der Baustelle nebenan.
nachdenken	über + acc.	Ich werde über Ihren Vorschlag nachdenken.
protestieren	gegen	Die Angestellten protestieren gegen die Entlassungen.
riechen	nach	Hier riecht es nach Essen.
schmecken	nach	Die Suppe schmeckt nach nichts.
schreiben	an + acc.	Ich schreibe gerade einen Brief an meine Freundin.
	über + acc.	Er schreibt einen Artikel über das Konzert gestern Abend.
sich schützen	vor + dat.	Mit dieser Creme schütze ich mich vor Sonnenbrand.
	gegen	Wie kann man sich gegen Malaria schützen?
sorgen	für	Er sorgt für seine alte Mutter.
sprechen	mit	Ich muss noch einmal mit dir über deine Pläne sprechen.
	über + acc.	
sterben	an + dat.	Er ist an Krebs gestorben.
streiken	für	Die Arbeiter streiken für höhere Löhne.
streiten	mit	Er streitet ständig mit seinem kleinen Bruder.
sich streiten	um	Die Kinder streiten sich um die Spielsachen.
	über + acc.	Wir streiten uns immer über Politik.
teilnehmen	an + dat.	Wie viel Leute haben an dem Kurs teilgenommen?
träumen	von	Ich habe in der letzten Nacht von wilden Tieren geträumt.
jdn. überreden	zu	Mein Freund hat mich zu diesem Ausflug überredet.
jdn. überzeugen	von	Du musst den Personalchef von deinen Fähigkeiten überzeugen.
sich unterhalten	mit	Sie hat sich mit mir nur über Mode unterhalten.
	über + acc.	
sich verabreden	mit	Wann hast du dich mit Andrea verabredet?
sich verlassen	auf + acc.	Kannst du dich auf deine Freundin verlassen?

sich verlieben	in + acc.	Ich habe mich in ihn verliebt.
etwas verstehen	von	Ich verstehe nichts von Autos.
sich vorbereiten	auf + acc.	Ich muss mich noch auf die Konferenz morgen vorbereiten.
warten	auf + acc.	Wir warten seit Tagen auf einen Brief von ihr.
sich wenden	an + acc.	Wenden Sie sich doch bitte an die Dame an der Rezeption.
sich wundern	über + acc.	Ich wundere mich immer wieder über den technischen Fortschritt.
zweifeln	an + dat.	Die Polizei zweifelt an seiner Aussage.

Certains verbes peuvent être utilisés avec ou sans préposition:

■ Was machst du denn gerade?
● Ich schreibe meinen Eltern einen Brief.
ou
● Ich schreibe einen Brief an meine Eltern.

Remarque
auf, über: sont toujours suivies de l'accusatif
an, unter, vor, in: sont la plupart du temps suivies de l'accusatif

▶ Exercices 1–14

1 Réunissez chaque phrase de la liste de gauche avec celle qui convient dans la liste de droite.

1	
2	
3	
4	
5	
6	

1. Ich freue mich   a   über seinen Chef.

2. Otto ärgert sich   b   für die Blumen.

3. Mein Großvater leidet   c   für Sport.

4. Ich danke Ihnen   d   auf die Ferien.

5. Meine Freundin bittet mich   e   unter der Hitze.

6. Er interessiert sich nicht   f   um einen Rat.

2 Formez des phrases en écrivant les mots dans le bon ordre.

1. habe – gestern – Brief – ich – meine – an – geschrieben – Eltern – einen

2. einem – Anna – hat – Skikurs – teilgenommen – an

3. sie – Kinder – für – sehr – sorgt – gut – ihre

4. ich – leider – nichts – von – verstehe – Physik

5. ist – er – seinen – finanziell – Eltern – abhängig – noch – von

6. aufgeregt – Arbeit – er – über – sehr – sich – hat – seine

3 Complétez en écrivant la préposition manquante et, éventuellement, l'article.

1. Wann fangen wir endlich _____ Essen an?

2. Wir warten noch _____ Onkel Max.

3. Was, du hast auch Onkel Max _____ Geburtstagsessen eingeladen?

4. Ja, er hat mich heute früh angerufen und mir gratuliert. Du wolltest doch sowieso noch mit ihm _____ unsere Reise nach Indien sprechen, oder?

5. Anna, was hältst du übrigens _____ meinem neuen Geschirr? Es ist ein Geschenk von meinen Eltern.

6. Tja, es ist wirklich sehr modern. Ich muss mich erst _____ vielen Farben gewöhnen.

4 Complétez par la préposition qui convient.

daran	nach	wovon
an	an	darauf
dazu	mit	für	aus

1. Wir könnten doch den Polizisten dort _____ dem Weg zur Kathedrale fragen.

2. Kannst du ihn nicht _____ überreden, ins Theater mitzukommen?

3. Wenn Sie noch Fragen haben, wenden Sie sich bitte _____ meinen Assistenten.

4. Wann können wir _____ der Besprechung beginnen?

5. Leider habe ich die Prüfung nicht bestanden. Ich habe mich nicht gründlich genug _____ vorbereitet.

6. Mein Großvater ist _____ Krebs gestorben.

7. Er ist zwar sehr streng, aber trotzdem halte ich ihn _____ einen guten Chef.

8. _____ hast du letzte Nacht geträumt?

9. Würden Sie mich bitte _____ erinnern, dass ich nachher diese Tasche mitnehme?

10. Die Prüfung besteht _____ zwei Teilen: Grammatik und schriftlicher Ausdruck.

5 Soulignez la préposition qui convient.

1. Er bewirbt sich auf/für/um eine Arbeit bei Siemens.

2. Mit diesem Schreiben beziehe ich mich auf/nach/über Ihren Brief vom 12.5.

3. Wir müssen uns alle zusammen für/mit/um eine Lösung dieses Problems bemühen.

4. Die Arbeiter protestieren mit/gegen/für die schlechten Arbeitsbedingungen.

5. Wie kann man sich am besten vor/bei/gegen einer Erkältung schützen?

6. Da kommt er ja endlich! Ich erkenne ihn von/an/bei seiner Stimme.

7. Hör endlich mit/über/von diesem Lärm auf! Ich muss arbeiten.

8. Hast du dich wenigstens mit/an/bei Onkel Fritz um/für/über deine Verspätung entschuldigt?

6 Répondez aux questions.

1. Womit beschäftigen Sie sich im Urlaub am liebsten?
   Mit Sport und Lesen.

2. Worüber würden Sie gern ein Buch schreiben?

3. Mit wem würden Sie sich nie zum Essen verabreden?

4. Woran zweifeln Sie nie/oft?

5. Wovon sind Sie abhängig?

6. Worüber/Über wen regen Sie sich oft auf?

7. Worüber denken Sie zur Zeit viel nach?

8. Mit wem haben Sie in ihrem Leben am meisten gestritten?

7 Complétez par les prépositions qui conviennent.

1. sich freuen _über_ / _auf_
   Schön, dass du da warst! Ich habe mich sehr _über_ deinen Besuch gefreut.
   Mein Gott, diese Arbeit! Ich freue mich so _auf_ meinen Urlaub!

2. sich bedanken _____ / _____
   Hast du dich _____ Oma _____ die Schokolade bedankt?

3. leiden _____ / _____
   Sie leidet _____ starken Depressionen.
   Die Reise nach Brasilien war wunderschön, aber wir haben sehr _____ der Hitze gelitten.

4. sich streiten _____ / _____
   Warum müsst ihr euch denn bei jeder Gelegenheit _____ Politik streiten?
   Sie sind furchtbar. Sie streiten sich ständig _____ Geld.

5. sich unterhalten _____ / _____
   Entschuldigen Sie bitte, dass ich mich verspätet habe. Ich habe mich noch _____ Frau Schiller _____ etwas sehr Wichtiges unterhalten und dabei ganz vergessen, auf die Uhr zu schauen.

6. denken _____ / _____
   Was denken Sie _____ meinen Aufsatz? Ist er besser als der letzte?
   Du hörst mir ja gar nicht zu! Denkst du nur noch _____ deinen neuen Freund?

8 Complétez les questions et répondez-y.

1. _Über wen_ / _Worüber_ lacht ihr? –
   …
   (2 possibilités)

2. _____ welchen deiner Freunde kannst du dich wirklich verlassen? –
   …

3. _____ riecht es hier so? – …

4. _____ / _____ streitet ihr euch schon wieder? – …
   (2 possibilités)

5. _____ kann ich mich mit diesem Problem wenden? – …

6. _____ hast du dich heute Abend verabredet? – …

7. _____ achten Sie am meisten, wenn Sie eine Reise buchen? – …

8. _____ diskutiert ihr denn? – …

9. _____ hängt es ab, ob du mitkommst oder nicht? – …

10. _____ möchten Sie mir denn danken? – …

11. _____ haben Sie sich denn jetzt entschieden? – …

12. _____ hältst du nichts? – …

9 Préposition *da-* et *wo-*:
Complétez les phrases.

1. ■ Maria hat mir versprochen, dass sie sich _um_ meinen Hund kümmert, wenn ich im Krankenhaus bin. Glaubst du, ich kann mich _darauf_ / _auf sie_ verlassen? (2 possibilités)
   ● Na klar, _____ Maria kann man sich immer verlassen. Sie gehört _____ den Menschen, die ihr Versprechen immer halten.

2. ■ Was denkst du _____ unseren neuen Chef?
   ● Ich finde ihn sehr nett und kooperativ. Wir haben gestern lange _____ ihm _____ unsere Arbeitsbedingungen diskutiert, und wir konnten ihn _____ überzeugen, dass man in Zukunft einiges in dieser Firma ändern muss.

3. ■ _____ lachst du?
   ● Ich habe gerade _____ den Film gestern Abend im Fernsehen gedacht. Ich weiß nicht mehr, wie er hieß.
   ■ Meinst du den, wo sich die Großmutter _____ ihren viel jüngeren griechischen Nachbarn verliebt hat und dann _____ einem Griechischkurs teilnimmt?
   ● Ja genau, den meine ich.

4. ■ _____ warten Sie?
   ● _____ einen Anruf vom Chef.
   ■ _____ brauchen Sie nicht zu warten. Der ist jetzt in einer Besprechung.

5. ■ Du schaust jetzt schon seit mindestens zehn Minuten aus dem Fenster. _____ träumst du denn?
   ● Ach, ich denke _____ unseren Urlaub diesen Sommer.
   ■ Wohin fahrt ihr denn?
   ● Wir haben uns immer noch nicht entschieden. Ich versuche immer noch, Max _____ zu überreden, dass wir in die Karibik fliegen, denn ich leide sehr _____ dem langen Winter hier in Deutschland.

6. ■ Denk _____ , dass du dich noch _____ Oma _____ das Geburtstagsgeschenk bedanken musst.
   ● _____ brauch' ich mich nicht extra zu bedanken. Sie hat doch gesehen, wie sehr ich mich _____ gefreut habe.
   ■ Trotzdem hofft sie sicher wenigstens _____ eine Karte von dir.
   ● Na gut, wenn sie sich _____ freut, dann schreib' ich ihr eben eine.

10 Complétez les phrases dans la lettre ci-dessous.

Sehr geehrter Herr Dr. Forster,

im Juli/August habe ich _____ einem Sprachkurs an Ihrer Schule teilgenommen.
Mit dem Unterricht und der Lehrerin (ich kann mich leider nicht mehr _____
ihren Familiennamen erinnern) war ich sehr zufrieden, wir haben viel bei ihr gelernt.
_____ habe ich mich schon persönlich _____ ihr bedankt.
Aber leider muss ich mich wegen einer anderen Sache _____ Ihnen beschweren.
Ich hatte Ihre Sekretärin _____ gebeten, mir ein Zimmer in einer deutschen
Familie zu besorgen, damit ich möglichst viel Deutsch sprechen kann. Nur hat sich
leider niemand in dieser Familie _____ mich gekümmert oder sich _____
mich interessiert. Sie haben so getan, als ob ich gar nicht da wäre und fast nie
_____ mir gesprochen. An einem Abend habe ich extra gekocht und sie
_____ Essen eingeladen, aber auch dabei hatte ich das Gefühl, dass sie sich
nicht wirklich _____ mir unterhalten wollten. Nach drei Wochen hatte ich mich
_____ dieses Verhalten gewöhnt und mich nicht mehr _____ gewundert.
Ich habe lange _____ nachgedacht, ob ich Ihnen _____ erzählen soll, aber im
Interesse zukünftiger Kursteilnehmer würde ich Ihnen empfehlen, diese Familie nicht
mehr zu vermitteln.
Ansonsten denke ich noch oft und sehr gern _____ diese zwei Monate in
Bremen und werde wahrscheinlich im nächsten Sommer wiederkommen.

Mit freundlichen Grüßen
Véronique Dupont

11 Complétez les phrases.

1. ■ _____ ärgerst du dich?
   ● Ich ärgere mich _____ , dass …
2. ■ _____ freut er sich denn so?
   ● Er freut sich _____ , dass …
3. ■ _____ wollten wir noch sprechen?
   ● Wir wollten noch _____ sprechen, wie …
4. ■ _____ hat sie sich denn beim Chef beschwert?
   ● Sie hat sich _____ beschwert, dass …
5. ■ _____ hast du dich nun entschieden? Kommst du mit oder nicht?
   ● Ich habe mich _____ entschieden … (Infinitiv!)
6. ■ _____ habt ihr euch denn gestern Abend so lange unterhalten?
   ● Wir haben uns _____ unterhalten, dass du immer …

89

12 Posez les questions.

1. ■ *Worauf freust du dich denn so?*
   (sich freuen)
   ● Auf das nächste Wochenende.

2. ■ ... (schreiben)
   ● An meine Freundin.

3. ■ ... (diskutieren)
   ● Über Sport.

4. ■ ... (sich gewöhnen)
   ● An diese schreckliche Hitze.

5. ■ ... (nachdenken)
   ● Über meine Prüfung morgen.

6. ■ ... (sich entschuldigen)
   ● Für meine Verspätung.

7. ■ ... (denken)
   ● An meinen Mann.

8. ■ ... (träumen)
   ● Von einem Tiger, der mich
   fressen wollte.

9. ■ ... (sich verlassen)
   ● Auf meine Eltern.

10. ■ ... (warten)
    ● Auf bessere Zeiten.

13 Complétez avec *da-* et les prépositions, et les terminaisons correctes.

1. Ich kann mich nicht _____
   erinnern, dass sie sich auch nur ein
   einziges Mal _____ zu viel Arbeit
   beschwert hätte.

2. Hast du dich _____ dein___
   neu___ Chef _____ erkundigt,
   _____ welch___ Fortbildungskurs
   du teilnehmen kannst?

3. Bitte stör mich jetzt nicht! Ich muss
   mich _____ mein___ Arbeit
   konzentrieren.

4. Kann ich mich _____ verlassen,
   dass Sie sich _____ unser___
   neu___ Gäste kümmern?

5. Kannst du mich bitte im Reisebüro
   _____ erinnern, dass ich mich
   auch _____ den Preisen für
   einen Flug nach Rom erkundige?

6. Haben Sie sich im Urlaub gut
   _____ Stress der letzten
   Wochen erholt?

7. Sprich doch mal _____ dein___
   Vater _____ dein___ Probleme.
   Vielleicht kann er dir helfen.

8. Pass gut _____ d___ Kleinen auf,
   wenn du mit ihnen über diese
   gefährliche Straße gehst. Die Autos
   fahren hier sehr schnell.

9. Ich wundere mich schon lange
   nicht mehr_____ , dass sie sich
   alle paar Monate _____ ein___
   ander___ Mann verliebt.

10. Erzählen Sie mir doch ein bisschen
    _____ Ihr___ letzt___ Cluburlaub.

14 Inscrivez les mots dans la grille de mots croisés ci-dessous.
Ecrivez en capitales (Ä = AE, ß = SS); vous devez découvrir le nom d'un écrivain allemand célèbre.

1. Ich hätte mich sehr gefreut, wenn du mich besucht ▦ .
2. Vielen Dank für Ihr Angebot, aber Sie ▦ mir wirklich nicht zu helfen. Ich kann das schon allein.
3. Ich ▦ leider nicht kommen. Ich hatte keine Zeit.
4. Ich kann jetzt nicht telefonieren. Ich wasche ▦ gerade die Haare.
5. Wir warten hier ▦ Sie.
6. Warum ▦ du nicht auf Angelas Party?
7. ▦ wir eine kurze Pause? Ich brauche einen Kaffee.
8. ▦ mich jetzt bitte in Ruhe!
9. Los, fangen wir ▦ !
10. Haben Sie sich schon ▦ den Hotelpreisen erkundigt?

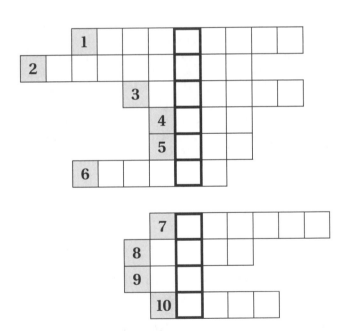

2.1   Le Nom
La déclinaison

![bande noire] **Le genre**

Chaque nom possède un genre que l'on reconnaît à l'article *der, die, das*.

Il existe en allemand trois genres grammaticaux:	
le masculin	*der Mann, der Löffel*
le féminin	*die Frau, die Gabel*
le neutre	*das Kind, das Messer*

Il semble logique que *der Mann* soit masculin, *die Frau* féminin et *das Kind* (garçon ou fille) neutre.
Pour ces noms (désignant des personnes) le genre coïncide avec le sexe. Mais pourquoi *der Löffel* est masculin, *die Gabel* féminin et *das Messer* neutre? Nul ne le sait. Ces noms ont un genre grammatical. Quelques règles permettent de déterminer le genre des noms grâce à leur terminaison. Mais elles ne sont pas absolues. Il est donc recommandé de toujours apprendre le nom accompagné de son article.

Quelques règles

masculin

- les noms masculins de personnes et d'animaux — *der Vater, der Affe ...*
- les jours de la semaine, les mois, les saisons, les moments de la journée — *der Montag, der Mai, der Winter, der Morgen ...*
- les phénomènes atmosphériques, les points cardinaux — *der Regen, der Osten ...*
- les alcools — *der Wein, der Schnaps ...* exception: *das Bier*
- les noms masculins de métiers — *der Arzt, der Lehrer, der Maler, der Praktikant ...*

féminin
- les noms féminins de personnes
- la plupart des noms de fleurs, de plantes et d'arbres
- les noms féminins de métiers
- les noms dérivés du radical d'un verbe et terminés par un *t*

die Tante, die Mutter ...
exception: *das Mädchen*
die Rose, die Tulpe ...

+ *in: die Ärztin, die Lehrerin, die Malerin, die Praktikantin ...*
fahren → die Fahrt,
rasten → die Rast ...

neutre
- les infinitifs et adjectifs substantivés

essen → das Essen,
gut → das Gute ...

	masculin	**féminin**	**neutre**
toujours	-ismus *Realismus*	-ung *Rechnung*	-chen *Mädchen*
	-ling *Liebling*	-heit *Freiheit*	-lein *Tischlein*
	-or *Motor*	-keit *Höflichkeit*	
		-schaft *Freundschaft*	
		-ion *Nation*	
		-ei *Bäckerei*	
		-ur *Kultur*	
le plus souvent	-er *Koffer*	-e *Lampe*	-um *Zentrum*
			-ment *Instrument*

Noms composés

Les noms composés prennent le genre du dernier nom qui compose le mot.

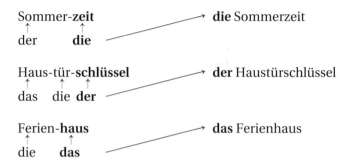

Sommer-**zeit**   →   **die** Sommerzeit
der   **die**

Haus-tür-**schlüssel** → **der** Haustürschlüssel
das   die **der**

Ferien-**haus** → **das** Ferienhaus
die   **das**

▶ Exercices 1–7

Le Pluriel

Il existe cinq possibilités pour former le nominatif pluriel des noms. On peut en général retenir ce qui suit:

Singulier	Pluriel		
• -r Koffer	-e Koffer	–	noms terminés par -er, -en, -el, -chen, -lein
-r Apfel	-e Äpfel	¨	
• -r Tisch	-e Tische	-e	nombreux masculins
-e Maus	-e Mäuse	¨e	féminins mono-syllabiques et neutres
• -s Kind	-e Kinder	-er	neutres monosyllabiques
-r Mann	-e Männer	¨er	quelques masculins
• -e Lampe	-e Lampen	-n	nombreux féminins
-e Uhr	-e Uhren	-en	
-r Student	-e Studenten	-en	déclinaison du type II
• -s Auto	-e Autos	-s	noms terminés par -a, -i, -o et nombreux mots étrangers

La plupart du temps, a, o, u se transforment en ä, ö, ü.

Particularités

die Lehrerin – die Lehrerin**nen**
die Schülerin – die Schülerin**nen**

das Gymnas**ium** – die Gymnas**ien**
das Muse**um** – die Muse**en**

das Thema – die Them**en**
die Firma – die Firm**en**

▶ Exercices 8–12

Les cas

Chaque nom prend une forme différente selon le cas. Le cas
d'un nom, de l'article (ou de l'adjectif) dépend de sa fonction
dans la phrase. Cette fonction est déterminée par le verbe (Ich
mache die Hausaufgabe.), par une préposition (Er steht *vor*
dem Haus.), ou par un autre nom (Das ist *die Tasche* meiner
Mutter.).

On distingue quatre cas:

Nominatif	*Ich* esse gern.
Accusatif	Ich esse gern *Kuchen*.
Datif	Ich gebe *dir* das Buch am Wochenende zurück.
Génitif	Ich weiß nicht mehr den Namen *des Autors*.

	Masculin I	Masculin II masc. faibles	Féminin	Neutre
Singulier				
Nominatif	der Mann	der Junge	die Frau	das Kind
Accusatif	den Mann	den Jungen	die Frau	das Kind
Datif	dem Mann	dem Jungen	der Frau	dem Kind
Génitif	des Mann**es**	des Jungen	der Frau	des Kind**es**
Pluriel				
Nominatif	die Männer	die Jungen	die Frauen	die Kinder
Accusatif	die Männer	die Jungen	die Frauen	die Kinder
Datif	den Männer**n**	den Jungen	den Frauen	den Kinder**n**
Génitif	der Männer	der Jungen	der Frauen	der Kinder

Particularités

- au génitif -*es* pour la plupart des noms monosyllabiques et des noms -*s*, -*ß*, -*x*, -*z*, -*tz*

  des Gesetzes, des Hauses …

- on ajoute un -*s* aux noms propres

  Goethes Erzählungen, Peters Freundin

  mais dans le langage courant, on peut dire aussi:

  die Freundin von Peter

  lorsque le nom propre se termine déjà par un -*s*, on ajoute une apostrophe

  Thomas' Buch

- mais dans le langage courant, on peut dire aussi:

  das Buch von Thomas

  au datif pluriel, nom + -*(e)n*

  den Lehrern, den Frauen …

  exceptions:
  noms terminés par -*s au pluriel*
  noms déjà terminés par -*n*

  den Autos …
  den Mädchen …

Déclinaison des masculins faibles

appartiennent à cette catégorie

- les noms d'êtres vivants masculins terminés par -*e*

  Junge, Kollege, Franzose, Affe …

- les noms masculins d'origine latine ou grecque, en -*and*, -*ant*, -*ent*, -*ist*, -*oge*, -*at*

  Doktorand, Demonstrant, Präsident, Polizist, Biologe, Demokrat …

- quelques noms masculins de ce groupe prennent également la terminaison -*s au génitif*

  der Gedanke – des Gedankens
  der Buchstabe – des Buchstabens
  der Name – des Namens
  der Friede – des Friedens

Nationalités	Type 1 - masculin I	Type 2 - masculin II (masculins faibles)
Nominatif	der Italiener	der Franzose
Accusatif	den Italiener	den Franzose**n**
Datif	dem Italiener	dem Franzose**n**
Génitif	des Italiener**s**	des Franzose**n**

De même:		
	Belgier	Brite
	Engländer	Bulgare
	Holländer	Däne
	Norweger	Finne
	Österreicher	Grieche
	Schweizer	Ire
	Spanier	Schotte
		Pole
		Portugiese
		Rumäne
		Russe
		Schwede
		Slowake
		Tscheche
		Türke
		Ungar
	Afrikaner	Asiate
	Amerikaner	
	Australier	

Exception

Der/die Deutsche est décliné comme un adjectif.

▶ *Voir les adjectifs* pages 112–115

Les noms de nationalités au féminin se terminent tous par -*in*, -*innen*:

Italienerin, Italienerinnen, Französin, Französinnen

▶ Exercices 13–17

1 der ou die:
Classez les noms selon le genre.

▪ Nachmittag	~~Elefant~~ ▪
▪ Cognac	Lehrerin ▪
▪ Freund	Bauer ▪
▪ Frau	Schrift ▪
▪ Chefin	Februar ▪
▪ Busfahrer	Frühling ▪
▪ Schülerin	Rose ▪
▪ Morgen	Freitag ▪
▪ Asiatin	Wein ▪
▪ Norden	Mutter ▪
▪ Münchnerin	Schnee ▪

der	**die**
Elefant	...
...	

2 Ecrivez l'article qui convient.

die	Stunde	_____	Dokument
_____	Koffer	_____	Direktor
_____	Bäckerei	_____	Mädchen
_____	Einsamkeit	_____	Dose
_____	Terror	_____	Bücherei
_____	Reaktor	_____	Mehrheit
_____	Zentrum	_____	Fremdling
_____	Kommunismus	_____	Achtung
_____	Schwierigkeit	_____	Gesellschaft
_____	Argument	_____	Tischlein
_____	Situation	_____	Figur
_____	Religion	_____	Monument

3 Formez des noms composés et écrivez l'article.

Kaffee	Bett	*die Gartenbank*
Telefon	Liebe	_____
Einbahn	Tasse	_____
Regen	Bank	_____
Brief	Buch	_____
Kinder	Werkstatt	_____
Auto	Straße	_____
Jugend	Tasche	_____
Garten	Schirm	_____

4 Formez des mots nouveaux en prenant pour initiale la dernière lettre du mot précédent.

der	die	das
Baum	Frau	Kind
Mann	U	D
N	...	...

Ehering	Name	~~Baum~~
~~Mann~~	Dorf	Rad
Regen	Tor	Garten
~~Frau~~	Liter	~~Kind~~
Fest	Ruhe	Nest
Uhr	Theater	Traube
Nordpol		Ringlein
Eigenschaft		Einsamkeit

5 Il y a dans chaque série un nom qui a un genre différent. Lequel?

1. Lösung
   Rose
   ~~Sozialismus~~
   Logik

2. Regen
   Natur
   Italiener
   Motor

3. Neuling
   Katholizismus
   Montag
   Bier

4. Schönheit
   Rauchen
   Engagement
   Studium

5. Klugheit
   Abend
   Oma
   Astrologin

6. Stöckchen
   Beste
   Element
   Wissenschaft

6 Compositions fantaisistes de mots. Quel est l'article correct?

1. _der_ Schokoladenlehrer
2. _____ Eieröffnungsmaschine
3. _____ Autowaschhund
4. _____ Brillenessen
5. _____ Winterfebruar
6. _____ Phantasieschnaps
7. _____ Herbstmalerin
8. _____ Weihnachtstulpe

7 A vous d'inventer dix compositions fantaisistes.

8 Voici ce que vous trouvez dans un dictionnaire: nom, article, terminaison du nominatif pluriel. Ecrivez, pour les douze indications données, la forme complète du nom au nominatif pluriel, sans oublier l'article.

1. Haus, das, ¨er   _die Häuser_
2. Ergebnis, das, -se   _____
3. Studentin, die, -nen   _____
4. Ausdruck, der, ¨e   _____
5. Lehrer, der, -   _____
6. Firma, die, -en   _____
7. Schloss, das, ¨er   _____
8. Anfang, der, ¨e   _____
9. Tür, die, -en   _____
10. Gymnasium, das, -en   _____
11. Situation, die, -en   _____
12. Ast, der, ¨e   _____

99

9 Terminaison du pluriel et inflexion : complétez avec la forme correcte.

–	-e	¨e	-n	-en	-er	-s	-nen

1. die Position, _en_
2. die Maus, _____
3. der Freund, _____
4. die Veränderung, _____
5. der Berg, _____
6. das Foto, _____
7. die Direktorin, _____
8. der Priester, _____
9. der Baum, _____
10. der Rahmen, _____
11. das Sofa, _____
12. der Physiker, _____
13. die Blume, _____
14. das Mädchen, _____

10 Terminaison du pluriel et inflexion: complétez avec la forme convenable.

1. Kommt ihr mit euren Kinder_____ zur Party am Samstag?
2. Ich komme gleich. Ich kaufe nur noch schnell zwei Flasche_____ Wein.
3. Wie viele Student_____ und Studentin_____ sind in Ihrem Kurs?
4. Sind hier noch zwei Platz_____ frei?
5. Er hat große Angst vor Prüfung_____ .
6. Sie fliegt nicht gern in kleinen Flugzeug_____ .
7. Ich lebe gern in kleinen Dorf_____ .
8. Wie viele Auto_____ haben Sie denn?
9. Wir helfen gern den alten Mensch_____ .
10. Unser Chef hat drei Sekretärin_____ .

11 Répondez aux questions ci-dessous.

1. Was gibt es in einem Wald?
   Bäume, Äste, …
   _____
   _____

2. Was haben Sie in Ihrer Schreibtischschublade?
   Papiere, …
   _____
   _____

3. Welche Früchte wachsen in Ihrem Land?
   _____
   _____
   _____

4. Von welchen Kleidungsstücken haben Sie mehr als eins in Ihrem Kleiderschrank?
   _____
   _____
   _____

12 Terminaison du pluriel et inflexion:
trouvez la bonne terminaison.

Meine Dame___ und Herr___ !
Sehr verehrte Kundin___ und Kund___ !
Wir haben heute wieder ganz tolle Sonderangebot___ für Sie.

Für die Dame___ :
    Rock___
    Bluse___
    Jacke___
    Schuh___   für nur 29,– €

Für die Herr___ :
    Krawatte___
    Seidenhemd___
    Ledergürtel___
    Pullover___   für nur 19,– €

Und für unsere Klein___ :
    kurze Hose___
    T-Shirt___
    Badeanzug___
    Sommerhut___ für nur 9,– €

13 Datif pluriel: écrivez les
terminaisons qui conviennent.

1. Die Lehrerin hilft den Student_____
   viel.
2. Du kannst den Ball nicht mitnehmen.
   Er gehört den Mädchen_____ dort.
3. Heute Abend koche ich mit meinen
   spanischen Freund_____ eine Paella.
4. Diese Uhr habe ich von meinen
   Eltern_____ zum Geburtstag
   bekommen.
5. Der Direktor dankte in seiner Rede
   allen Arbeiter_____ .
6. Morgen gehe ich mit meinen
   Kinder_____ ins Schwimmbad.

14 Génitif singulier et pluriel: écrivez
les terminaisons qui conviennent.

1. Wir kommen am Ende der
   Woche_____ .
2. Die Aussprache meiner
   Student_____ (fem. Pl.) ist sehr gut.
3. Ich besuche dich Anfang des
   Monat_____ .
4. Die Angestellten der Post_____
   verdienen wenig.
5. Die Nasen der Affe_____ sehen
   sehr lustig aus.
6. Die Liebe seiner Mutter_____ hat
   ihm bei dieser schweren Krankheit
   viel geholfen.

15 Trouvez les bonnes combinaisons et écrivez la forme du génitif.

Maria	Büro ist im 2. Stock.
Dr. Müller	bester Pianist heißt …
Deutschland	Symphonien habe ich alle auf CD.
Thomas	Freundin ist sehr hübsch.
Mozart	Mann arbeitet bei Siemens.
Frankreich	Geburtshaus steht in Salzburg.
Beethoven	Hauptstadt ist Paris.
Angela	Motorrad war teuer.

Beethovens Symphonien habe ich alle auf CD.
…

16 Les noms masculins: mettez les terminaisons.

1. Im Tierpark haben wir einen kleinen Affe____ gesehen.

2. Hast du schon den neuen Film____ mit Tom Cruise gesehen?

3. Die Kolleg____ in meiner neuen Firma sind sehr hilfsbereit.

4. Haben deine Student____ auch Probleme mit der Adjektivdeklination?

5. Gestern Abend habe ich meiner Freundin einen langen Brief____ geschrieben.

6. Schau, da auf dem Baum sitzen zwei wunderschöne Vögel____ !

7. Euer Fußballclub hat einen sehr guten Präsident____ .

8. Die Demonstrant____ hörten nicht auf die Befehle der Polizist____ .

9. Ich kann mich nicht an den Name____ meines Kollege____ erinnern.

10. Wie viele Koffer____ nimmst du mit?

11. Ich nehme keinen Koffer____ mit, sondern nur zwei Tasche____ .

12. Die nächsten Monat____ habe ich viel zu tun.

17 Comment s'appellent les habitants de ...?

	Homme	Femme
England	*Engländer, -*	*Engländerin, -nen*
Griechenland		
Europa		
Türkei		
Österreich		
Irland		
Spanien		
Russland		
Rumänien		
Norwegen		
Dänemark		
Schottland		
Asien		
Holland		
Portugal		
Amerika		
Polen		
Finnland		
Frankreich		
Schweiz		
Italien		

2.2 Le Nom
L'article

Emploi

Les articles, seuls ou en liaison avec un adjectif ou un participe, se placent devant le nom.

das Auto	ein Auto	*article + nom*
das rote Auto	ein rotes Auto	*article + adjectif + nom*
das gestohlene Auto	ein gestohlenes Auto	*article + participe passé + nom*

Dans un texte, les noms sont la plupart du temps introduits pour la première fois par un **article indéfini:**

Hast du schon gehört? Daniel hat sich *ein* neues Auto gekauft.

L'**article défini** désigne une personne ou un objet déjà connu (déterminé), ou encore un concept d'ordre général:

Das neue Auto von Daniel ist wirklich super!
Die Kunst des 19. Jahrhunderts finde ich sehr interessant.

La **terminaison de l'adjectif** dépend de l'article qui le précède:

article défini	*article indéfini*	*pas d'article*
das rote Auto	**ein** rotes Auto	rote Autos

Il est donc important de savoir à quel type de déclinaison appartient l'article.

La déclinaison avec l'article du groupe défini (déclinaison faible)

Formes

	masculin	féminin	neutre	pluriel
Nominatif	der	die	das	die
	dieser	diese	dieses	diese
	jeder	jede	jedes	alle
	mancher	manche	manches	manche
Accusatif	den	die	das	die
	diesen	diese	dieses	diese
	jeden	jede	jedes	alle
	manchen	manche	manches	manche
Datif	dem	der	dem	den
	diesem	dieser	diesem	diesen
	jedem	jeder	jedem	allen
	manchem	mancher	manchem	manchen
Génitif	des	der	des	der
	dieses	dieser	dieses	dieser
	jedes	jeder	jedes	aller
	manches	mancher	manches	mancher

Aide-mémoire 1

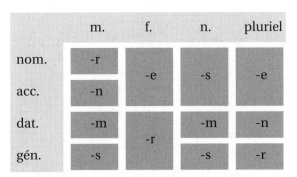

	m.	f.	n.	pluriel
nom.	-r	-e	-s	-e
acc.	-n	-e	-s	-e
dat.	-m	-r	-m	-n
gén.	-s	-r	-s	-r

105

La déclinaison avec l'article du groupe indéfini (déclinaison mixte)

Formes

	masculin	féminin	neutre	pluriel
Nominatif	ein	eine	ein	–
	kein	keine	kein	keine
	mein*	meine	mein	meine
	irgendein	irgendeine	irgendein	irgendwelche
Accusatif	einen	eine	ein	–
	keinen	keine	kein	keine
	meinen*	meine	mein	meine
	irgendeinen	irgendeine	irgendein	irgendwelche
Datif	einem	einer	einem	–
	keinem	keiner	keinem	keinen
	meinem*	meiner	meinem	meinen
	irgendeinem	irgendeiner	irgendeinem	irgendwelchen
Génitif	eines	einer	eines	–
	keines	keiner	keines	keiner
	meines*	meiner	meines	meiner
	irgendeines	irgendeiner	irgendeines	irgendwelcher

* De même: dein, sein, ihr/Ihr, unser, euer.

Aide-mémoire 2

	m.	f.	n.	pluriel
nom.	–	-e	–	-e
acc.	-n	-e	–	-e
dat.	-m	-r	-m	-n
gén.	-s	-r	-s	-r

Il existe en allemand deux adjectifs possessifs à la 3e personne (*sein/ihr*), qui dépendent du genre du possesseur; et deux terminaisons (*– /-e*), qui dépendent du genre du nom „possédé":

er/es → sein	Das Auto gehört **Herrn** Müller.	=	Es ist **sein** Auto.
sie → ihr	Das Auto gehört **Frau** Müller.	=	Es ist **ihr** Auto.
er/es → sein	Die Uhr gehört Herrn Müller.	=	Es ist seine Uhr.
sie → ihr	Die Uhr gehört Frau Müller.	=	Es ist ihre Uhr.

La déclinaison sans article

Emploi

Pluriel de l'article indéfini
Haben Sie Kinder?

Noms propres
Das ist Peter.

Villes, pays, continents
Ich lebe in London/England/Europa.

Indications de temps sans préposition
Ich komme nächste Woche.

Métiers
Er ist Arzt.

Nationalités
Sie ist Engländerin.

Noms de mesure, de quantité, de poids
Bring bitte zwei Kilo Kartoffeln mit!

Quantités indéterminées
Brauchst du noch Geld?

Matériaux, étoffes
Die Bluse ist aus Baumwolle.

Locutions proverbiales
Ende gut, alles gut.

Si le nom est précédé d'un adjectif/participe employé comme adjectif, on emploie obligatoirement l'article indéfini ou défini.

Er ist ⁄ Arzt.	Er ist ein guter Arzt.
Er hat früher in ⁄ Berlin gelebt.	Er hat früher im geteilten Berlin gelebt.

▶ Exercices 1–7

107

2 Le nom

1 Nominatif, accusatif ou datif:
complétez les articles en écrivant la terminaison qui convient.

1. Dies _e_ Farbe (Nom.) gefällt mir gar nicht.
2. Musst du denn wirklich jed___ Abend (Akk.) arbeiten?
3. Können Sie mir bitte noch ein___ Glas (Akk.) Mineralwasser bringen?
4. Verstehst du Bairisch? Ich verstehe manch___ Leute (Akk.) in Bayern sehr schlecht.
5. Wie findest du mein___ neuen Schuhe (Akk.)?
6. In dies___ Stadt (Dat.) war ich schon in all___ Museen (Dat.).
7. Ich brauche etwas zum Schreiben. Gib mir mal bitte irgendein___ Stift (Akk.).
8. Dies___ Art (Nom.) von Filmen gefällt mir nicht.
9. Unser___ Großmutter (Nom.) bäckt d___ besten Apfelstrudel (Akk.).
10. Wir stehen jed___ Morgen (Akk.) um 6.30 Uhr auf.
11. In dies___ Lehrbuch (Dat.) sind manch___ Übungen (Nom.) ganz gut.
12. Kinder, nehmt eur___ Badesachen (Akk.) mit. Wir gehen noch ins Schwimmbad.
13. Ich habe Ihr___ Frage (Akk.) nicht ganz verstanden.
14. Ich habe leider kein___ Geschwister (Akk.).
15. Ich finde Ihr___ Haus (Akk.) wunderschön!
16. Sie geht jed___ Tag (Akk.) zum Schwimmen.

2 D'après vous, qu'est-ce qui appartient à Lisa? Qu'est-ce qui appartient à Martin? Qu'est-ce qui appartient à leurs parents? Complétez.

-s Sofa	-s Taschenmesser	~~-e Haarbürste~~		-s Auto
-r Computer	-s Halstuch		-e Handtasche	
~~Stühle (Pl.)~~	-r Regenschirm		-r Fernseher	
Katzen (Pl.)	-s Poster		~~-r Fußball~~	
-s Haus	-s Geschirr	-s Kartenspiel	-r Teppich	

Das ist _ihre Haarbürste._ Das ist _sein Fußball._ Das ist …
Das sind … Das sind … Das sind _ihre Stühle._
…

3 *mein, dein, sein, ihr, unser, euer*: écrivez la forme demandée.

1. Diese Kinder! Immer lassen sie _____ Spielsachen in der Küche liegen!
2. Antonio hat schon wieder _____ Schlüssel (Sing.) verloren.
3. Nein, Kinder, jetzt könnt ihr noch nicht spielen gehen. Ihr müsst zuerst _____ Zimmer aufräumen.
4. _____ Lehrer gibt uns immer zu viele Hausaufgaben.
5. Sag mal, wo ist denn _____ Lehrerin?
6. Oma sucht _____ Brille. Habt ihr sie gesehen?
7. Ich kann leider nicht mitkommen. _____ Fahrrad ist kaputt.
8. Hans ist immer noch krank. _____ Halsschmerzen sind noch nicht besser.
9. Wie war denn _____ Reise? – Sehr schön, wir haben viel gesehen, und _____ Reiseleiterin war ganz toll.
10. Hast du _____ Tasche gesehen? – Nein. Aber vielleicht hast du sie ja zu Hause vergessen.

4 Complétez par un adjectif possessif et un nom. Mettez au datif.

Mensch	Terrorist	~~Großmutter~~
~~Mädchen~~	Dieb	Feind
Lehrerin	Freund	Präsident
Zahnarzt	Löwe	Polizist
Kommunist	Idiot	Meteorologe

1. Wir würden immer *unserer Großmutter / allen Mädchen* helfen. Aber wir würden nie … helfen.
2. Ich unterhalte mich gern mit …. Aber ich habe mich noch nie mit … unterhalten.
3. Meine Freundin wäre gern mit … auf einer einsamen Insel. Aber sie würde nie mit … in einem Hotelzimmer übernachten.
4. Mein Sohn würde gern mit … in die Disco gehen. Aber er würde nie mit … am Abend ausgehen.

5 Article défini, indéfini ou pas d'article? Complétez.

1. Heute ist _____ 23. April.
2. Kannst du mir bitte _____ Liter _____ Milch aus _____ Supermarkt mitbringen?
3. Dieses Hemd ist aus _____ Seide.
4. Haben Sie _____ Hunger? – Nein, ich habe gerade _____ Spaghetti gegessen.
5. Möchten Sie noch _____ Fleisch?
6. Gib bitte _____ Brigitte _____ Buch.
7. Meine Mutter ist _____ Schauspielerin.
8. Kennen Sie _____ Alfred Brendel? Er ist _____ berühmter deutscher Pianist.
9. Sie ist _____ Amerikanerin.
10. Könntest du bitte einkaufen gehen? Wir brauchen noch _____ Butter, _____ Äpfel, _____ Flasche Orangensaft und _____ Päckchen Reis.

6 Article ou pas d'article?
Complétez.

1. ▪ Hast du in _____ Deutschland
   auch so gern _____ Brötchen
   zum Frühstück gegessen?
   ● Ja, natürlich. Jeden Morgen
   _____ Brötchen mit _____
   Marmelade und danach _____
   Scheibe Brot mit _____ Butter.
   Dazu habe ich immer _____
   Tasse Kaffee mit _____ Milch
   und _____ Zucker getrunken.
   ▪ Das ist ja _____ typisch
   deutsches Frühstück!
   Du bist ja fast _____ Deutsche
   geworden.
   ● Nein, nein. Aber _____ deutsche
   Frühstück schmeckt mir sehr
   gut.

2. ▪ Warum fahren Sie denn jedes
   Jahr im Urlaub nach _____
   Österreich?
   ● Meine Eltern sind _____
   Deutsche, aber sie leben in
   _____ kleinen Dorf in
   Österreich, in der Nähe der
   deutschen Grenze. Besonders
   _____ Kinder fahren sehr gern
   dorthin.

3. ▪ Würden Sie lieber in _____
   Dorf oder in _____ Stadt
   wohnen?
   ● Ich weiß nicht. Als ich in _____
   Madrid gelebt habe, hat mir
   _____ Großstadtleben eigentlich
   sehr gut gefallen.

4. ▪ Haben Sie Hunger?
   ● Ja, denn ich habe heute Morgen
   nur _____ Milch getrunken.
   ▪ Dann mache ich Ihnen schnell
   _____ Suppe warm.
   ● Danke, das wäre sehr nett.

5. ▪ Sollen wir noch in _____
   Restaurant gehen?
   ● Tut mir leid, aber ich habe kein
   Geld dabei.
   ▪ Macht nichts, ich lade dich ein,
   ich habe genug _____ Geld dabei.
   ● Das ist sehr nett von dir. Wir
   müssen ja nicht in _____ teures
   Restaurant gehen. Ich esse
   sowieso am liebsten _____
   Spaghetti.

7 Trouvez le mot adéquat et mettez-le à la forme qui convient.

| mancher | alle | dieser | ein | jeder | kein | der |

1. _____ Studenten in meiner Klasse sind immer pünktlich.

2. Wir sind Frühaufsteher. Wir stehen _____ Tag um 6.00 Uhr auf.

3. _____ Reise werde ich nie vergessen!

4. Kennen Sie _____ Mann dort?

5. Im Großen und Ganzen habe ich _____ Text verstanden, nur _____ Wörter nicht.

6. Hallo Klaus, wir machen am Samstag eine Party. Wir kaufen _____ Getränke, und _____ Gäste sollten bitte etwas zu essen mitbringen.

7. Darf ich Ihnen _____ Tasse Tee anbieten? – Nein danke, um _____ Uhrzeit trinke ich _____ Tee mehr, sonst kann ich nicht schlafen.

8. Mir haben fast _____ Arien in _____ Oper gefallen.

9. _____ Anfang ist schwer.

10. Vielen Dank, aber ich möchte jetzt nichts essen. Ich habe _____ Hunger.

11. Haben Sie wirklich _____ Bücher von Goethe gelesen?

12. _____ Pullover kannst du nicht mehr anziehen. Er ist doch ganz schmutzig.

13. Nein danke, ich mag _____ Wodka. Ich trinke fast nie Alkohol.

14. _____ Mann dort kenne ich.

2.3 Le nom
L'adjectif

■ Das ist aber eine tolle Tasche!   *Devant un nom (épithète), avec terminaison*

Ist sie neu?   *Avec ‚sein/werden' (attribut), sans terminaison*

● Ja, ich habe sie gestern gekauft.

La déclinaison

Il n'est question, dans ce qui suit, que de la déclinaison de l'adjectif épithète, donc placé devant le nom (eine *tolle* Tasche), le seul à avoir des terminaisons variables.

Un adjectif peut aussi avoir une terminaison sans pour autant précéder un nom. Dans ce cas, le nom a déjà été nommé et on ne veut pas le répéter:

■ Gefällt dir die bunte Tasche?
● Ja, aber die schwarze finde ich noch schöner.

Lorsque l'adjectif est épithète (et donc précède le nom), il existe deux types de déclinaison:

Type 1: avec l'article défini

der neue Film
die neue Uhr
das neue Haus

Type 2: avec l'article indéfini

ein neuer Film
eine neue Uhr
ein neues Haus

Déclinaison de l'adjectif avec l'article défini (type 1)

Appartiennent également au groupe de l'article défini:
der, dieser, jeder/alle, mancher.
▶ Voir page 105

	masculin	féminin	neutre	pluriel
Nom.	der neue Film	die neue Uhr	das neue Haus	die neuen Filme
Acc.	den neuen Film	die neue Uhr	das neue Haus	die neuen Filme
Dat.	dem neuen Film	der neuen Uhr	dem neuen Haus	den neuen Filmen
Gén.	des neuen Films	der neuen Uhr	des neuen Hauses	der neuen Filme

Aide-mémoire 3

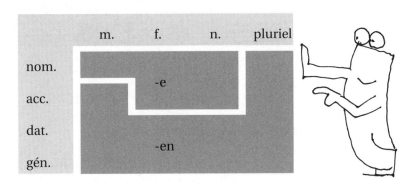

Déclinaison de l'adjectif avec l'article indéfini (type 2)

Appartiennent également au groupe de l'article indéfini:
ein, kein, mein, irgendein.
▶ Voir page 106

	masculin	féminin	neutre	pluriel
Nom.	ein neuer Film	eine neue Uhr	ein neues Haus	keine neuen Filme
Acc.	einen neuen Film	eine neue Uhr	ein neues Haus	keine neuen Filme
Dat.	einem neuen Film	einer neuen Uhr	einem neuen Haus	keinen neuen Filmen
Gén.	eines neuen Films	einer neuen Uhr	eines neuen Hauses	keiner neuen Filme

Aide-mémoire 4

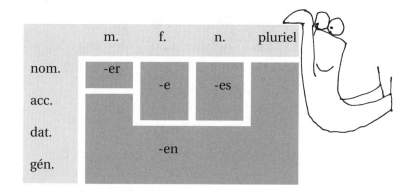

Déclinaison de l'adjectif sans article

Les terminaisons de l'adjectif utilisé sans article vous sont déjà connues: ce sont les mêmes que la dernière lettre de l'article défini.

▶ *Voir aide-mémoire 1 page 105*

Exemple à l'accusatif	**den** Wein	Ich trinke gern französisch**en** Rotwein.
	die Schokolade	Ich esse gern deutsch**e** Schokolade.
	das Obst	Ich esse gern frisch**es** Obst.

Exception   L'adjectif sans article prend la terminaison -*en* au génitif singulier masculin et neutre (Ich liebe den Geruch frisch*en* Kaffees / Bieres.). Mais ces formes sont très rarement employées.

Observez les différentes terminaisons de l'article et de l'adjectif:

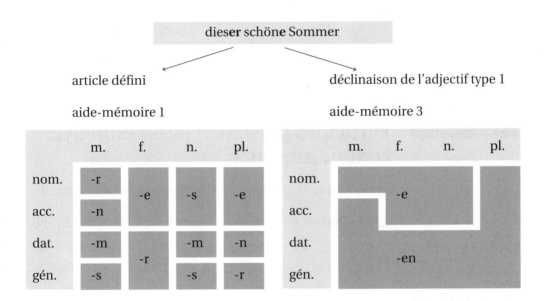

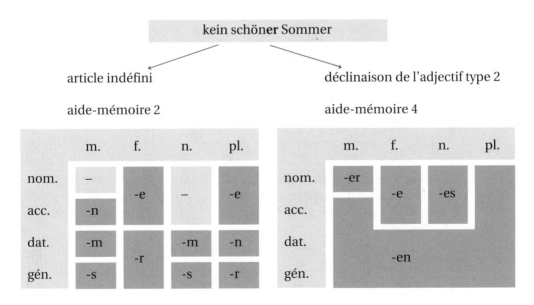

Particularités	teuer	ein teures Haus	le -e- disparaît (élision)
	dunkel	ein dunkles Zimmer	le -e- disparaît
	hoch	ein hoher Turm	le -c- disparaît
	rosa	ein rosa Kleid	adjectifs en -a: pas de terminaison
		der Hamburger Hafen	adjectifs dérivés de noms de villes: toujours -er

Participes présent et passé employés comme adjectifs

	der blühende Apfelbaum	infinitif + d + terminaison de l'adjectif
	das geschlossene Fenster	participe passé + terminaison de l'adjectif

▶ Exercices 1–12

La comparaison

Comparatif   ■ Welches Sweatshirt findest du *schöner*, das blaue oder
                   das rote?

Superlatif   ● Mir gefällt keins von beiden besonders. Schau mal,
                   dieses bunte, das ist *das schönste* von allen hier.
                   Mir gefällt es jedenfalls *am besten*.

L'adjectif suit le nom (attribut)

	Comparatif: *-er*	Superlatif: *am -sten*
klein	Auto B ist klein**er** als Auto A.	Auto C ist **am klein**sten.
billig	Auto B ist billig**er** als Auto A.	Auto C ist **am billig**sten.
schnell	Auto B fährt schnell**er** als Auto C.	Auto A fährt **am schnell**sten.

L'adjectif précède le substantif (épithète)

	Comparatif	Superlatif
	-er + terminaison de l'adjectif	*-st + terminaison de l'adjectif*
klein	Ich kaufe das klein**ere** Auto.	Ich kaufe das klein**ste** Auto.
billig	Ich kaufe das billig**ere** Auto.	Ich kaufe das billig**ste** Auto.
schnell	Ich kaufe das schnell**ere** Auto.	Ich kaufe das schnell**ste** Auto.

Particularités

	Comparatif	Superlatif	
gut	besser	am besten	
viel	mehr	am meisten	*mehr* et *weniger* sont
			invariables
gern	lieber	am liebsten	
dunkel	dunkler	am dunkelsten	
teuer	teurer	am teuersten	
warm	wärmer	am wärmsten	*a, o, u → ä, ö, ü*
jung	jünger	am jüngsten	(pour la plupart des adjectifs
klug	klüger	am klügsten	monosyllabiques)
wild	wilder	am wildesten	*-est* après *-d, -t, -s, -ss, -ß*
breit	breiter	am breitesten	*-sch, -x, -z*
hübsch	hübscher	am hübschesten	
nah	näher	am nächsten	
hoch	höher	am höchsten	

Emploi de *wie* et *als*

égalité	Lisa ist genau **so** groß **wie** Georg.	*so … wie*
supériorité ou inferiorité	Aber Lisa ist größ**er als** Angela.	Comparatif + *als*

▶ Exercices 13–20

Adjectifs et participes substantivés

Les adjectifs et participes substantivés se déclinent comme l'adjectif.

- ■ Wie war denn deine letzte Reisegruppe? Waren wieder so viele Rentner dabei?
- ● Nein, diesmal nicht. Es waren sogar ein paar **Jugendliche** ① unter den **Reisenden** ②, und **das Schönste** ③ war, dass auch zwei alte **Bekannte** ④ von mir mitgefahren sind.

① + ③ + ④   adjectif substantivé
②   participe substantivé

		masculin	féminin	pluriel
Type 1				
	Nominatif	der Angestellte	die Angestellte	die Angestellten
	Accusatif	den Angestellten	die Angestellte	die Angestellten
	Datif	dem Angestellten	der Angestellten	den Angestellten
	Génitif	des Angestellten	der Angestellten	der Angestellten
Type 2				
	Nominatif	ein Angestellter	eine Angestellte	Angestellte
	Accusatif	einen Angestellten	eine Angestellte	Angestellte
	Datif	einem Angestellten	einer Angestellten	Angestellten
	Génitif	eines Angestellten	einer Angestellten	Angestellter

Adjectif substantivé	der/die Arbeitslose, der/die Bekannte, der/die Blonde, der/die Deutsche, der/die Fremde, der/die Kranke, der/die Schuldige, der/die Tote, der/die Verwandte, das Gute, das Beste, der/die Schnellste …
Participe présent substantivé	der/die Abwesende, der/die Anwesende, der/die Auszubildende, der/die Reisende, der/die Vorsitzende …
Participe passé substantivé	der/die Angestellte, der Beamte/die Beamtin, der/die Betrunkene, der/die Gefangene, der/die Verheiratete, der/die Verletzte, der/die Verliebte, der/die Vorgesetzte …

▶ Exercices 21–23

1 Nominatif: posez des questions.

1. das Kleid – rot – schwarz
   Welches Kleid gefällt Ihnen besser,
   das rote oder das schwarze?
2. die Hose – schwarz – blau
3. die Schuhe – braun – weiß
4. der Pullover – bunt – einfarbig
5. das Hemd – kariert – gestreift
6. der Mantel – dick – dünn
7. die Taschen – groß – klein
8. die Jacke – blau – grün

2 Nominatif (N) et accusatif (A): mettez les terminaisons.

1. Die letzt___ Aufgabe (N) war
   schwierig.
2. Jeder neu___ Anfang (N) ist schwer.
3. Diese kaputt___ Jeans (A) kannst du
   doch nicht mehr anziehen!
4. Das blond___ Mädchen (A) dort
   finde ich sehr hübsch.
5. Wir haben den ganz___ Monat (A)
   Urlaub.
6. Zeigen Sie mir bitte alle deutsch___
   Lehrbücher (A), die Sie haben.
7. Geben Sie mir bitte den schwarz___
   Stift (A) dort.
8. Ich möchte bitte das halb___ Brot (A).
9. Fast alle jung___ Leute (N) in
   Deutschland sprechen Englisch.
10. Heute Abend sehe ich die neu___
    Freundin (A) von Franz zum ersten
    Mal.
11. Meine Großmutter hat mir schon
    manchen gut___ Rat (A) gegeben.
12. In Deutschland sind die Geschäfte
    jeden erst___ Samstag (A) im Monat
    länger geöffnet.

3 Nominatif: mettez les terminaisons qui conviennent.

1. Das ist ein sehr langweilig___ Film.
2. Sie ist eine sehr intelligent___ Frau.
3. Ist das hier Ihr neu___ Fahrrad?
   Das ist ja super!
4. Er ist meine groß___ Liebe.
5. Ihre klein___ Tochter ist wirklich
   sehr musikalisch.
6. Das ist aber ein sehr gemütlich___
   Restaurant.
7. Das ist doch kein frisch___ Brot.
   Es ist viel zu hart.
8. Sie wird sicher eine gut___ Musikerin.

4 Accusatif: répondez à la question en suivant l'exemple.

Was schenken Sie Ihrem Freund zum
Geburtstag?

1. das Buch – interessant
   Ich schenke ihm ein interessantes
   Buch.
2. die Uhr – neu
3. der Pullover – blau
4. das Wörterbuch – deutsch
5. der Hund – klein
6. die Torte – groß
7. das Hemd – bunt
8. die Krawatte – modern

5 Accusatif: formez des phrases.

Was mögen Sie gern?
Was mögen Sie nicht gern?

▪ klein	▪ Männer
▪ schnell	▪ Autos
▪ schlecht	▪ Reisen
▪ billig	▪ Fernseher
▪ schön	▪ Motorräder
▪ teuer lang	▪ Jobs
▪ langweilig	▪ Restaurants
▪	▪ Filme
▪ fremd gut	▪ Kinder
▪ interessant	▪ Länder
▪ nett	▪ Leute Tiere

Ich mag gern *fremde Länder.*

Ich mag keine *langweiligen Filme.*

...

6 Mettez les terminaisons qui conviennent.

Beatrice kritisiert immer die Kleidung ihrer Freundin.

1. Warum trägst du eine grün___ Hose mit einer violett___ Bluse?

2. Warum trägst du im Sommer diese dick___ Strümpfe?

3. Warum kaufst du nie ein modern___ Kleid?

4. Warum trägst du einen gelb___ Mantel mit einem rot___ Hut?

5. Warum trägst du keinen schick___ Minirock mit deinen schön___ Beinen?

6. Warum gehst du nicht mit deiner gut___ Freundin Beatrice zum Einkaufen?

7 Ecrivez l'adjectif à la forme qui convient.

1. ▪ Gibt es hier ein <u>französisches</u> Restaurant?
   ● Nein, nur ein _____ .

2. ▪ Hörst du immer diese _____ Rockmusik?
   ● Nein, fast nie. Meistens höre ich _____ Musik.

3. ▪ Kaufst du jede _____ CD von den Rolling Stones?
   ● Nein, ich kaufe nur die _____ .

4. ▪ Warum ziehst du nicht deine _____ Schuhe an?
   ● Weil ich lieber meine _____ anziehen möchte.

5. ▪ Nimm doch noch ein Stück von ihrem _____ Kuchen!
   ● Nein danke, ich bin wirklich satt.

6. ▪ Gibt es am Sonntag in Deutschland _____ Brot zu kaufen?
   ● Ja, in einigen Bäckereien.

französisch
deutsch
laut
klassisch
neu
gut
warm
neu
gut

frisch

8 Petites annonces: mettez les terminaisons.

Hübsch____ , jung____ , blond____
Frau sucht einen reich____ , schwarz-
haarig____ Akademiker aus gut____
Familie mit schnell____ Auto und
dick____ Bankkonto.

Chiffre XXX

Attraktiv____ , jugendlich____ Mann,
Anfang 50, sucht liebevoll____ ,
sportlich____ Frau (20 bis 30 Jahre
alt), die gut____ kocht und sehr
häuslich____ ist.

Chiffre XXX

Suche älter____ , aktiv____ und
interessiert____ Frauen und
Männer für gemeinsam____
Ausflüge, lang____
Spaziergänge und
gemütlich____ Abende.
Bitte melden Sie sich unter
Chiffre XXX

Älter____ Ehepaar mit drei
groß____ Hunden sucht für
ruhig____ , möbliert____ Zimmer
mit eigen____ Bad in schön____
Haus eine zuverlässig____
Mieterin.
Miete 450,– + Nebenkosten.

Chiffre XXX

Si vous ne connaissez pas toutes les réponses aux exercices suivants (9 à 12),
reportez-vous à nouveau aux chapitres *Comparaison* et *Adjectif et participe
substantivés.*
▶ *Comparaison,* pages 116–117   ▶ *Adjectif, participe substantivés,* page 118

9 Mettez les terminaisons.

Rotkäppchen

Es war einmal ein jung___ Mädchen,
das mit seinen lieb___ Eltern in einem
klein___ Häuschen am Rande eines
groß___ Waldes lebte. Das Mädchen
5 hatte von seiner alt___ Großmutter ein
rot___ Käppchen bekommen, mit
welchem es so hübsch___ aussah,
dass die meist___ Leute es nur ‚das
Rotkäppchen' nannten.
10 Eines Morgens sagte die Mutter zu
Rotkäppchen:
„Deine lieb___ Großmutter ist krank___
und liegt ganz allein im Bett. Deshalb
sollst du sie besuchen und ihr einen
15 groß___ Kuchen und eine Flasche Wein
bringen. Aber geh gerade durch den
dunkl___ Wald, denn dort wohnt der
bös___ Wolf."
Rotkäppchen versprach der gut___
20 Mutter, brav___ zu sein, und machte
sich auf den lang___ Weg durch den
tief___ Wald.
Es war noch nicht lange unterwegs,
da kam schon der schwarz___ Wolf,
25 der vor Hunger ganz dünn___ war und
das klein___ Mädchen gierig ansah.
„Mein lieb___ Rotkäppchen, was machst
du denn so allein im dunkl___ Wald?"

Und das ängstlich___ Mädchen
30 antwortete:
„Ich muss meiner krank___ Großmutter
diesen groß___ Kuchen und eine Flasche
Wein bringen."
Da sagte der schlau___ Wolf:
35 „Deine Großmutter wird sich noch viel
mehr freuen, wenn du ihr noch einen
groß___ Strauß von diesen gelb___ und
rot___ Blumen mitbringst."
Das Mädchen folgte dem Rat und war
40 froh, dass der Wolf schnell verschwand.
Es pflückte einen schön___ Blumenstrauß und ging dann weiter. Der Wolf
aber hatte einen schrecklich___ Plan.
Er lief schnell zum Haus der Großmutter
45 und fraß sie mit Haut und Haaren. Dann
zog er sich ihr weiß___ Nachthemd an
und legte sich in das weich___ Bett der
Großmutter, um auf Rotkäppchen zu
warten.
50 Nach kurz___ Zeit kam die Klein___ und
betrat fröhlich___ das Haus. Im Schlafzimmer der Großmutter war es dunkel,
weil der Wolf die schwer___ Vorhänge
zugezogen hatte, und so konnte Rot-
55 käppchen nicht viel sehen. Deshalb
fragte es die Großmutter:

10 Ecrivez les terminaisons.

Zimmersuche in München

„Aber Großmutter, warum hast du so
groß___ Augen?"
„Damit ich dich besser sehen kann!"
60 antwortete der listig___ Wolf.
„Großmutter, warum hast du so lang___
Ohren?" fragte das ängstlich___
Mädchen weiter.
„Damit ich dich besser hören kann",
65 sagte der schwarz___ Wolf.
„Aber Großmutter, warum hast du so
einen groß___ Mund?"
„Damit ich dich besser fressen kann",
sagte der Wolf, sprang aus dem Bett und
70 fraß auch das klein___ Mädchen mit
einem einzig___ Biss. Dann wurde er
müde und legte sich wieder in das
gemütlich___ Bett der Großmutter und
fiel in einen tief___ Schlaf.
75 Kurz___ Zeit später ging der alt___
Förster am Häuschen der Großmutter
vorbei. Als er das laut___ Schnarchen
des Wolfes hörte, war ihm klar, was
passiert war. Er betrat schnell das
80 Zimmer, sah den bös___ Wolf und schoss
ihn tot. Dann schnitt er mit seinem
scharf___ Messer den dick___ Bauch des
tot___ Wolfes auf und heraus kamen die
nun glücklich___ Großmutter und das
85 Rotkäppchen. Als sie den Förster
erkannten, waren sie sehr froh und
dankten ihrem gut___ Retter sehr
herzlich. Gleich setzten sie sich an den
rund___ Tisch, tranken heiß___ Kaffee,
90 aßen den gut___ Kuchen und waren
glücklich___ .

D'après un conte des Frères Grimm

Jedes Jahr kommen viele fremd___
Besucher nach München. In den
meist___ größer___ Hotels muss man
schon mehrer___ Wochen im Voraus
5 ein Zimmer reservieren. Auch die zahl-
reich___ klein___ Pensionen haben
kaum noch ein frei___ Zimmer.
Besonders während des berühmt___
Oktoberfests sind auch alle teur___
10 Hotels ausgebucht. Mancher aus-
ländisch___ Gast findet ein schön___
Privatzimmer bei einer freundlich___
Familie, aber viele haben nicht solches
Glück und können froh sein, wenn sie
15 außerhalb der Stadt in einem klein___
Dorf ein frei___ Zimmer in einem
Gasthof finden.
Auch die neu___ Studenten, die im
erst___ Semester in München studieren,
20 müssen mit groß___ Schwierigkeiten
rechnen, wenn sie ein Zimmer suchen.
Zwar wurden in den letzt___ Jahren
einige neu___ Studentenheime gebaut,
doch reichen diese bei weitem nicht
25 aus, um den wachsend___ Bedarf an
billigen Wohnmöglichkeiten für die
immer größer werdend___ Zahl von
Studenten zu decken. Meistens muss
man auf ein frei___ Zimmer in einem
30 der beliebt___ Studentenheime vier
Semester lang warten. In der Zwischen-
zeit müssen sie vielleicht in einem der
teur___ Appartements wohnen, die in
den zahlreich___ Münchner Zeitungen
35 angeboten werden. Viele geldgierig___
Vermieter nutzen die schlecht___
Situation auf dem Wohnungsmarkt,

um noch höher___ Preise für
ihre klein___ Wohnungen zu
40 verlangen.
  Zum groß___ Glück gibt es jedoch
noch einige nett___ Vermieterinnen,
die schön___ und preiswert___ Zimmer
an Studenten vermieten. Einige der
45 Studenten haben noch viele Jahre

nach ihrem Studium freundschaftlich___
Kontakte zu ihren früher___ Vermietern.
Besonders ausländisch___ Studenten
finden hier eine willkommen___
50 Gelegenheit, Kontakt mit Deutsch___
zu bekommen und auch ein bisschen
von der bayerisch___ Lebensweise
kennenzulernen.

11 Ecrivez les terminaisons.

Der Name der Stadt Rosenheim

Wie wir von einer alt___ Sage her wissen,
hat die oberbayerisch___ Stadt Rosenheim ihren Namen von den viel___
herrlich___ Rosen, die früher in dieser
5 schön___ Gegend gewachsen sein sollen.
Fragt man manche alt___ Rosenheimer, ob diese Sage nicht nur eine
frei erfunden___ Geschichte für
gutgläubig___ Touristen ist, verneinen
10 sie das entschieden. Und auf die
neugierig___ Frage, wie eine der
schönst___ und wohlriechendst___
Blumen denn an das steinig___ Ufer
des Inn gekommen ist, haben sie eine
15 einleuchtend___ Antwort bereit.
  Die alt___ Römer brachten die Rosen
mit. Nahe der jetzig___ Stadt hatten sie
an der Kreuzung zweier wichtig___
römisch___ Handelsstraßen ein
20 befestigt___ Lager gebaut. Überreste
solcher römisch___ Lager findet man
auch heute noch an vielen ander___
Stellen in Deutschland.

Die Rosenheimer Bürger erzählen, dass
25 die lebensfroh___ Römer die duftend___
Blütenblätter der Rosen verwendeten, um
verschieden___ Getränke herzustellen.
Die Rosen sollen auch als wohl-
riechend___ Tischschmuck und sogar
30 zum Parfümieren der einfach___ Betten
gedient haben. Als die Römer nach lang-
jährig___ Herrschaft schließlich ver-
trieben wurden, erzählt die Sage weiter,
ließen sie viel___ wunderschön___
35 Rosenstöcke zurück. Diese wuchsen bald
zu einem „Rosenhain" heran. Aus dem
„Rosenhain" wurde später der Name
„Rosenheim". Das Wappen der Stadt, die
östlich von München in der Nähe des
40 idyllisch___ Chiemsees liegt, zeigt eine
gefüllt___ weiß___ Rose auf rot___ Grund.

die Sage, -n: alte Erzählung von Helden und Kriegen
der Inn: Fluss, der durch Rosenheim fließt
die Römer (Pl.): Einwohner des alten Rom
der Hain, -e: kleiner, heller Wald

12 Ecrivez les terminaisons.

Der alte Clown

Der schwer___ Vorhang öffnet sich.
Lachend tanzt der Clown in die Arena.
Wie jeden Abend wird er auch diesmal
besonders die Zuschauer erfreuen, die
5 ein wenig traurig aussehen.
In der Mitte der Manege bleibt der
lächelnd___ Clown plötzlich stehen.
Er blickt in die zahllos___ Gesichter.
Seine dick___ rot___ Nase zuckt, und
10 die klein___ weiß___ Papierblume an
seinem schwarz___ Hut bewegt sich.
Endlos lange sieht er sich um.
Ungeduldig rutschen die Zuschauer
auf ihren hart___ Sitzen hin und her.
15 Schließlich geht der Clown mit groß___
Schritten auf ein blond___ Mädchen
zu, das einen grau___ Stoffhund fest
an sich drückt.
„Du siehst ein bisschen traurig aus!",
20 sagt der Clown.
„Ich bin auch ein bisschen traurig!"
antwortet das Mädchen. „Mein arm___
Hund ist nämlich krank."
„Das ist keine gut___ Nachricht.
25 Was fehlt ihm denn?"
„Er kann nicht lachen! Kannst du ihm
das nicht beibringen?"

Nachdenklich legt der Clown den Kopf
schief.
30 „Weißt du", sagt er schließlich, „mit dem
Lachen ist es eine schwierig___ Sache.
Mancher braucht viele mühevoll___
Jahre, um es zu lernen. Andere bemühen
sich ihr ganz___ Leben lang verzweifelt
35 und lernen es nie. Auch dein vier-
beinig___ Freund wird es vielleicht nie
lernen."
Mit groß___ enttäuscht___ Augen
schaut das Mädchen den Clown an.
40 „Aber sei nicht traurig!" fährt der Clown
fort und lacht dem Kind ermunternd zu.
„Auch wer nicht lachen kann, kann sich
freuen. Ist das nicht das Wichtigst___ ?"
Erleichtert drückt das klein___ Mädchen
45 den Stoffhund noch fester an sich.
Das Publikum applaudiert minutenlang.
Der alt___ Clown dreht sich um und geht.
Das war sein letzt___ Auftritt.

13 Formez les comparatifs et les superlatifs des adjectifs suivants et classez-les.

klein	leicht	schnell	früh	klug	dunkel	
teuer	~~reich~~	gern	~~arm~~	hübsch	alt	viel
nett	hoch	gut	glücklich	laut	stark	schwierig

régulier   **irrégulier**
• •

reicher/am reichsten   *ärmer/am ärmsten*

...   ...

14 Comparatif: faites une demande polie.

1. Frau Laut spricht sehr leise.
   Bitte sprechen Sie lauter!
2. Jemand ist immer so ungeduldig.
3. Ihr Sohn ist nicht höflich zur Nachbarin.
4. Anita geht so langsam.
5. Jemand fährt sehr schnell Auto.
6. Die Kinder helfen ihrer Mutter zu wenig.
7. Jemand geht immer zu spät ins Bett.
8. Ihr Sohn macht das Radio immer so laut.

15 Comparatif: complétez les phrases.

Herr Klein ist mit nichts zufrieden.

1. Er hat ein großes Haus, aber *er möchte ein noch größeres Haus.*
2. Er hat eine interessante Arbeit, aber …
3. Er hat viel Geld, aber …
4. Er hat eine gute Sekretärin, aber …
5. Er hat wertvolle Möbel, aber …
6. Er hat nur ein Kind, aber …
7. Er hat einen schönen Garten, aber …
8. Er hat viel Freizeit, aber …

16 Comparatif: complétez en suivant l'exemple.

1. Dieses Hotel ist zu teuer. Gibt es hier kein *billigeres* ?
2. Diese Übungen sind so schwierig. Ich würde lieber _____ Übungen machen.
3. Nein danke, dieser Pullover ist zu dünn. Ich suche einen _____ .
4. Der Weg ist mir zu lang. Kennst du keinen _____
5. Der Job ist mir zu langweilig. Ich suche mir einen _____ .
6. Das Restaurant war nicht gut. Nächstes Mal gehen wir aber in ein _____ .
7. Das Brot ist schon hart. Hast du kein _____ ?
8. Der Wein ist nicht gut. Nächstes Mal kaufen wir einen _____ .

17 Superlatif: complétez en utilisant
le superlatif de l'adjectif proposé.

1. ■ Wer läuft schneller, Judith, Sarah oder Hanna?
   ● Hanna läuft _____ .   schnell
2. ■ Was ist denn los?
   ● Mein Gott, wir haben die _____ Sache vergessen.   wichtig
3. ■ Das sind die _____ Schuhe, die ich je gekauft habe.   teuer
   ● Es sind aber auch die_____ , die du je hattest.   elegant
4. ■ Was sind denn Ihre _____ Reisepläne?   neu
   ● Ich würde _____ nochmal nach Island fahren.   gern
5. ■ Wer ist die _____ Frau der Welt?   reich
   ● Ich glaube, die Königin von England.
6. ■ Wer ist denn der _____ Student im Kurs?   jung
   ● Jürgen.

18 Superlatif:
même exercice que le précédent.

1. der _kürzeste_ Weg   kurz
2. die _____ Hotels   gut
3. ihre _____ Jeans   alt
4. die _____ Deutschen   viel
5. die _____ Aufgabe   schwierig
6. meine _____ Schwester   jung
7. der _____ Berg   hoch
8. der _____ Fluss   lang

19 Répondez aux questions.

1. Was machen Sie am liebsten?
2. Was können Sie am besten?
3. Was mögen Sie am wenigsten?
4. Was essen Sie am meisten?
5. Welche Schauspielerin finden Sie
   am schönsten?
6. Welchen Film finden Sie am
   interessantesten?

20 Comparatif de supériorité:
formez des phrases.

1. Empire State Building – Eiffelturm –
   hoch
   *Das Empire State Building ist höher
   als der Eiffelturm.*

2. Elefant – Giraffe – dick sein

3. Wohnungen in München –
   Wohnungen in Hamburg – teuer
   sein

4. der ICE in Deutschland – der TGV
   in Frankreich – schnell fahren

5. Eis in Italien – Eis in Deutschland –
   gut schmecken

6. Katze – Maus – groß sein

7. Paris – Rom – mir gut gefallen

8. Eva – Angela – schnell schwimmen

21 Adjectifs et participes substantivés: complétez les phrases.

1. Beim Oktoberfest in München gibt es immer viele _Betrunkene_ (betrunken).
2. Die Zahl der _____ (arbeitslos) in Deutschland steigt.
3. Während des Sommers kommen viele _____ (fremd) nach Bayern.
4. Das _____ (schlimm; Superlativ) ist, dass ich so vergesslich bin.
5. Alle _____ (angestellt) in Deutschland haben eine Kranken-versicherung.
6. _____ (rothaarig) haben meistens eine helle Haut.
7. Seit er so schwer krank ist, lebt er wie ein _____ (gefangen) in seiner Wohnung.
8. Das _____ (schön; Superlativ) in Bayern sind die Berge.
9. Die _____ (deutsch) trinken mehr Kaffee als Tee.
10. Der Autor begrüßte alle _____ (anwesend) und begann mit seinem Vortrag.

22 Complétez. ▶ *Voir l'article* pages 104–106, 139–140

verliebt	ein	*Verliebter*	–	*Verliebte*
arbeitslos	die	_____	alle	_____
neugierig	eine	_____	diese	_____
intellektuell	die	_____	alle	_____
verwandt	der	_____	zwei	_____
blind	die	_____	–	_____
anwesend	ein	_____	viele	_____
böse	eine	_____	manche	_____
bekannt	ein	_____	–	_____

23 Formez des substantifs et donnez-en une définition.

▪ krank	~~jugendlich~~	tot	betrunken	vorgesetzt	▪
▪ ~~schwarz~~	schuldig	abwesend	gefangen		▪
▪ arbeitslos	geizig	blond	reisend	verliebt	▪

Ein Schwarzer ist ein Mensch mit dunkler Hautfarbe.
Jugendliche sind …

…

2.4 Le Nom
Le nombre

Les nombres cardinaux

0	null	21	einundzwanzig
1	eins	22	zweiundzwanzig
2	zwei	...	
3	drei	30	dreißig
4	vier	40	vierzig
5	fünf	50	fünfzig
6	sechs	60	sechzig
7	sieben	70	siebzig
8	acht	80	achtzig
9	neun	90	neunzig
10	zehn	100	(ein)hundert
11	**elf**	101	(ein)hunderteins
12	**zwölf**	110	(ein)hundertzehn
13	dreizehn	...	
14	vierzehn	1 000	(ein)tausend
15	fünfzehn	10 000	zehntausend
16	**sechzehn**	100 000	(ein)hunderttausend
17	**siebzehn**	1 000 000	eine Million, -en
18	achtzehn	1 000 000 000	eine Milliarde, -n
19	neunzehn		
20	**zwanzig**		

Le nombre *1* devant un substantif se décline comme l'article indéfini:

Ich trinke pro Tag nur *eine* Tasse Kaffee.

![] ## Les nombres ordinaux

1.	der, die, das	erste	20.	der, die, das	zwanzigste
2.		zweite	21.		einundzwanzigste
3.		dritte	...		
4.		vierte	99.		neunundneunzigste
5.		fünfte	100.		hundertste
6.		sechste	101.		hunderterste
7.		siebte	...		
8.		achte	1 000.		tausendste
9.		neunte	1 001.		tausenderste
10.		zehnte	...		
11.		elfte			
...					
19.		neunzehnte			

1. bis 19. : -**te**   20. à/partir de ... : -**ste**

Les nombres ordinaux se déclinent comme l'adjectif:
Er kommt am *fünfzehnten* Mai.
Das ist mein *dritter* Versuch.

![] ## Les adverbes numéraux et exprimant la fréquence

Ich möchte nicht mehr Ski fahren.
Erstens kann ich es nicht gut und *zweitens* ist es teuer.

Weißt du, wer mich gerade angerufen hat?
Dreimal darfst du raten.

Ich brauche diesen Brief in *dreifacher* Kopie.

erstens	einmal	einfach
zweitens	zweimal	zweifach/doppelt
drittens	dreimal	dreifach
viertens	viermal	vierfach
...	...	...

Les fractions, les mesures, les poids, la monnaie

on écrit	*on dit*
0,5	null Komma fünf
1/2	ein halb
1/3	ein Drittel
1/4	ein Viertel
1 1/2	eineinhalb (souvent aussi: anderthalb)
2 1/2	zweieinhalb
1 mm	ein Millimeter
1 cm	ein Zentimeter
1 m	ein Meter
1,30 m	ein Meter dreißig
1 km	ein Kilometer
60 km/h	sechzig Stundenkilometer
1 m^2	ein Quadratmeter
1 g	ein Gramm
1 kg	ein Kilo(gramm)
2 Pfd.	zwei Pfund = ein Kilo
1 l	ein Liter
1 %	ein Prozent
1°	ein Grad (Celsius)
−5°	minus fünf Grad / fünf Grad unter Null
+2°	plus zwei Grad / zwei Grad über Null
3,50 €	drei Euro fünfzig
−,30 €	dreißig Cent
8,20 sFr	acht Franken zwanzig
−,40 sFr	vierzig Rappen (Suisse)

Les indications de temps

L'heure

on écrit	on dit (langage soigné)	on dit (langage courant)
8.05	acht Uhr fünf	fünf nach acht
8.15	acht Uhr fünfzehn	Viertel nach acht
8.20	acht Uhr zwanzig	zwanzig nach acht
8.30	acht Uhr dreißig	halb neun
8.40	acht Uhr vierzig	zwanzig vor neun
8.45	acht Uhr fünfundvierzig	Viertel vor neun
8.55	acht Uhr fünfundfünfzig	fünf vor neun
21.30	einundzwanzig Uhr dreißig	halb zehn
0.05	null Uhr fünf	fünf nach zwölf

die Sekunde, -n   sekundenlang
die Minute, -n   minutenlang
die Stunde, -n   stundenlang

La date

on écrit	on dit
1998	neunzehnhundertachtundneunzig
1. April	erster April – Heute ist der erste April.
1. 4.	erster Vierter – Heute ist der erste Vierte.
7. Mai 1975	Ich bin am siebten Mai neunzehnhundertfünfundsiebzig geboren.
7. 5. 1975	Ich bin am siebten Fünften neunzehnhundertfünfundsiebzig geboren.
Berlin, den 12. 6. 1980	Berlin, den zwölften Sechsten neunzehnhundertachtzig

Les jours, les mois, les saisons

**Les jours
de la semaine**

der/am Sonntag	sonntags
der/am Montag	montags
der/am Dienstag	dienstags
der/am Mittwoch	mittwochs
der/am Donnerstag	donnerstags
der/am Freitag	freitags
der/am Samstag	samstags
der Wochentag, -e	werktags
das/am Wochenende	–
der Tag, -e	tagelang
die Woche, -n	wochenlang

Am Sonntag fahren wir in die Berge. = dimanche prochain
Sonntags schlafe ich immer länger. = chaque dimanche

**La journée
Les moments
de la journée**

der/am Tag, -e	tagsüber
der/am Morgen	morgens
der/am Abend, -e	abends
der/am Vormittag, -e	vormittags
der/am Nachmittag, -e	nachmittags
die/**in** der Nacht, -e	nachts
der/am Mittag	mittags
die/**um** Mitternacht	–

Les mois

der/im Januar	der/im Juli
der/im Februar	der/im August
der/im März	der/im September
der/im April	der/im Oktober
der/im Mai	der/im November
der/im Juni	der/im Dezember

Les saisons

der/im Frühling	der/im Herbst
der/im Sommer	der/im Winter
das Jahr, -e	jahrelang
das Jahrzehnt, -e	jahrzehntelang
das Jahrhundert, -e	jahrhundertelang

▶ Exercices 1–5

1 Ecrivez les sommes suivantes en toutes lettres.

1.   39,90 €   *neununddreißig Euro neunzig*
2.   99,30 €   _____
3.   119,– sFr _____
4.   680,– €   _____
5.   3,15 €   _____
6.   4,10 sFr   _____
7.   29,80 €   _____
8.   5,20 €   _____
9.   4,80 sFr   _____
10. 39,20 €   _____

2 Ecrivez les heures suivantes en toutes lettres (langage soigné et langage courant).

1.   23.10 Uhr   *Es ist dreiundzwanzig Uhr zehn. / Es ist zehn nach elf.*
2.   8.30 Uhr   _____
3.   15.45 Uhr   _____
4.   21.05 Uhr   _____
5.   6.40 Uhr   _____
6.   9.15 Uhr   _____
7.   11.20 Uhr   _____
8.   1.15 Uhr   _____
9.   7.55 Uhr   _____
10. 22.10 Uhr   _____

3 Ecrivez les dates suivantes en toutes lettres.

1.   Wann ist Johann Wolfgang von Goethe geboren?   28.8.1749
     Am achtundzwanzigsten Achten siebzehnhundertneunundvierzig.
2.   Wann ist Johann Sebastian Bach geboren?   21.3.1685
3.   Wann ist Ludwig van Beethoven geboren?   17.12.1770
4.   Wann ist Caspar David Friedrich geboren?   5.9.1774
5.   Wann ist Otto Graf von Bismarck geboren?   1.4.1815
6.   Wann ist Thomas Mann geboren?   6.6.1875
7.   Wann ist Franz Marc geboren?   8.2.1880
8.   Wann ist Bertolt Brecht geboren?   10.2.1898
9.   Und Sie? Wann sind Sie geboren?
10. Wann sind Ihr Vater und Ihre Mutter geboren?

4 Ecrivez les dates suivantes en toutes lettres.

1. Wien, den 21. 3. 1988
2. Bis wann muss ich das Formular abgeben? – Bis spätestens 31. 12.
3. Wann fliegen Sie nach Sydney? – Am 30. 7.
4. Wann habt ihr geheiratet? – Am 22. 2. 1965.
5. Wann ist dieses Buch erschienen? – 1996.
6. Der Wievielte ist heute? – Der 4.
7. Wann werden Sie zurück sein? – Nicht vor dem 12.
8. Wie lange ist das Geschäft geschlossen? – Vom 1. 8. bis 24. 8.

5 Complétez les phrases suivantes.
Ecrivez en toutes lettres.

1. Geben Sie mir bitte
   _____ (2 kg) Kartoffeln
   und _____ (1 Pfd.)
   Karotten.

2. Mein Bett ist _____ (2 m)
   lang und _____ (1,20 m)
   breit.

3. _____ (jeden Montag)
   muss ich immer etwas länger im
   Büro bleiben.

4. Diese Schuhe sind von sehr
   guter Qualität. Sie sind sogar
   _____ (2 x) genäht.

5. Ich habe gestern_____
   (4 x) bei dir angerufen, aber du
   warst nie zu Hause.

6. Deutsches Bier hat durchschnittlich
   _____ (6 %) Alkohol.

7. Letzte Nacht war es sehr kalt.
   Es hatte _____ (–10°).

8. Kannst du mir bitte _____
   (3 l) Milch mitbringen, wenn du
   einkaufen gehst?

9. _____ (jeden Morgen)
   trinke ich lieber Kaffee,
   _____ (jeden Nach-
   mittag) lieber Tee.

10. Ich habe _____
    (viele Jahre) auf diese Gelegenheit
    gewartet.

11. Das ist schon mein _____
    (3.) Versuch, ihn telefonisch zu
    erreichen.

12. Ungefähr _____ (1/3)
    meiner Studenten spricht schon
    sehr gut Deutsch.

2.5 Le nom
Le pronom

On peut, avec un pronom, remplacer un membre de phrase, une phrase entière ou encore un texte. Le pronom sert ainsi à répéter brièvement ce qu'on vient d'énoncer.

■ Ich habe mir eine neue Uhr gekauft.
● Zeig mal. **Die** ist aber sehr schön.　　*au lieu de:* **Die neue Uhr** ist sehr schön.

■ Glaubst du, dass wir den nächsten Zug noch erreichen können?
● Ich weiß **es** nicht.　　*au lieu de:* Ich weiß nicht, **ob wir den nächsten Zug noch erreichen können.**

■ *eine Person erzählt, was sie im Urlaub erlebt hat*
● Das ist ja wirklich interessant!　　*au lieu de répéter tout ce qui vient d'être dit*

Vue d'ensemble

Les pronoms personnels ▶ Voir page 138

ich, du, er, sie, es …

Wo ist der Hausschlüssel?
Hast *du* ihn?

+ *préposition*

Ich komme gleich.
Warte bitte *auf mich*.

Pronoms déclinés comme l'article défini ▶ Voir pages 139–140

der, die, das, die

Das Kleid dort, *das* finde ich schön.

dieser, diese, dieses, diese

Welcher Hut gefällt dir? – *Dieser* da.

(jener, jene, jenes, jene)　　*vieilli*
jeder, jede, jedes, alle

Das kann doch *jeder*!
Das wissen doch schon *alle*.

mancher, manche, manches, manche	Hier muss ich dir noch *manches* erklären. *est utilisé la plupart du temps au pluriel: Manche* machen das noch falsch.
viele (*pluriel*)	Es waren ziemlich *viele* da.
wenige (*pluriel*)	Diesmal sind nur *wenige* gekommen.
beide (*pluriel*)	Ja, es waren *beide* da.
einige (*pluriel*)	*Einige* haben abgesagt.

Pronoms suivant leur propre déclinaison ▶Voir pages 141–142

einer, eine, eins, welche	Hast du ein Wörterbuch? – Ja, zu Hause habe ich *eins.*
keiner, keine, keins, keine	Nein, ich habe auch *keins.*
irgendeiner, irgendeine, irgendeins, irgendwelche	*Irgendeiner* wird sich schon melden.
meiner, meine, meins, meine*	Dieses Fahrrad da? Nein, das ist nicht *meins.*
welcher, welche, welches, –	Soll ich Milch kaufen? – Nein, wir haben noch *welche.*
man	*Man* soll sich nicht zu früh freuen.
jemand, niemand	Ist *jemand* da?
wer	Siehst du *wen*? – Ja, da ist *wer.*
viel, wenig	Ich habe heute nur *wenig* gegessen.
alles (*singulier*)	Ich habe leider fast *alles* vergessen.
etwas, nichts	Siehst du *etwas*? – Nein, *nichts.*

* Aussi à cette catégorie: deiner, seiner, ihrer/Ihrer, uns(e)rer, eurer.

Mots interrogatifs ▶Voir pages 143–144

warum	wohin	was	was für ein
wann	mit wem	wie	wie viel
woher	womit	wer	welcher
wo			

Pronoms réfléchis ▶ Voir page 145

mich   uns
dich   euch
sich

Pronoms relatifs ▶ Voir pages 145–147

der, die, das, was, wo, wofür, für den …

Le mot *es* ▶ Voir pages 148–149

Les pronoms personnels

| Abends las | *die Großmutter* | *den Kindern* | immer Geschichten vor. |
| Abends las | *sie* | *ihnen* | immer Geschichten vor. |

	Singulier					**Pluriel**		
Nominatif	ich	du	er	sie	es	wir	ihr	sie/Sie
Accusatif	mich	dich	ihn	sie	es	uns	euch	sie/Sie
Datif	mir	dir	ihm	ihr	ihm	uns	euch	ihnen/Ihnen
Génitif	*rarement utilisé*

▶ Exercices 1–6

Remarque   à propos de l'utilisation des pronoms *du, ihr, euch, Sie* et
Ihnen lorsqu'on s'adresse à quelqu'un:
• *on emploie du* (sing.), *ihr* et *euch* (plur.) lorsqu'on s'adresse à
des enfants, des amis ou des parents proches.
• *on emploie Sie* et *Ihnen* (sing./plur.) lorsqu'on s'adresse à
des gens qu'on ne connaît pas. Ces pronoms prennent une
majuscule (marque de politesse). Dans une lettre, les
pronoms utilisés concernant la personne à qui on s'adresse
prennent une majuscule (*Sie, Ihnen, Ihr, Ihre).*

Les pronoms déclinés comme l'article défini

Rappel – aide-mémoire 1

article défini

	m.	f.	n.	plur.
nom.	-r		-s	-e
		-e		
acc.	-n			-e
dat.	-m		-m	-n
		-r		
gén.	-s		-s	-r

der, die, das, die

■ Das Bild gefällt mir gut.
● Welches meinst du?
la plupart du temps en début de phrase, pour accentuer:
■ *Das* dort rechts in der Ecke.

■ Siehst du den Typ da?
● *Den* kenne ich nicht. Wer ist *das*?

■ Warum ist dein Mann nicht mitgekommen?
● Er ist doch krank.
■ Ach so, *das* habe ich nicht gewusst.

dieser, diese, dieses, diese

■ Dieses Buch hier finde ich langweilig. Hast du kein interessanteres für mich?
● Doch, schau mal, *dieses* hier könnte dir gefallen.

jeder, jede, jedes, alle

■ Ich arbeite zur Zeit jedes Wochenende.
● Das hast du schon *jedem* erzählt.

mancher, manche, manches, manche

■ Haben Sie alle Wörter verstanden?
● Nein, *manche* nicht.

139

viele, wenige Pluriel	■ Heute waren nicht alle Studenten da, aber relativ *viele* im Vergleich zu anderen Tagen.
beide Pluriel	■ Kommst du mit beiden Kindern oder lässt du deinen Sohn allein zu Hause. ● Nein, ich bringe *beide* mit.
einige Pluriel	■ Kommen in Ihrer Klasse alle pünktlich zum Unterricht? ● Nein, *einige* kommen immer zu spät.

Comparez:

Wie findest du **die** Vase?	**Sie** ist sehr schön.	**Die** finde ich sehr schön.
Article défini *L'interlocuteur désigne* *un seul vase*	*Pronom personnel* *sans accentuation* *particulière*	*Pronom démonstratif* *pour accentuer*
Wie findest du **diese** weiße Vase?	**Sie** ist sehr schön.	**Diese** finde ich sehr schön, aber die andere nicht.
Article démonstratif *il y a plusieurs vases* *parmi lesquels on en* *désigne un*	*Pronom personnel* *sans accentuation* *particulière*	*Pronom démonstratif* *pour accentuer (en com-* *paraison avec les autres)*

▶ Exercices 7–8

Les pronoms suivant leur propre déclinaison

Rappel: aide-mémoire 1

article défini

	m.	f.	n.	plur.
nom.	-r		-s	-e
		-e		
acc.	-n			
dat.	-m		-m	-n
		-r		
gén.	-s		-s	-r

La dernière lettre du pronom est identique à celle de l'article défini.

Beispiel:

der	die	das	die
einer	eine	eins	welche

Pronoms	**Exemples**

einer, eine, eins, welche
- ■ Das ist aber ein schönes Taschenmesser!
- ● Ja, ich hätte auch gern so *eins*.

- ■ Hast du Bücher von Goethe?
- ● Ja, natürlich habe ich *welche*. Soll ich dir *eins* leihen?

keiner, keine, keins, keine
- ■ Was, du hast wirklich kein Taschenmesser?
- ● Nein, ich darf mir *keins* kaufen.
- ■ Gut, dann schenke ich dir *eins*.

irgendeiner, irgendeine, irgendeins, irgendwelche
- ■ Hast du irgendein deutsches Buch, das du mir leihen könntest?
- ● Ja, klar. Was liest du gern?
- ■ Gib mir *irgendeins*, das leicht zu verstehen ist.

meiner, meine, meins, meine
- ■ Gib her, das ist mein Ball.
- ● Nein, das ist nicht *deiner*, das ist *meiner*.

welcher, welche, welches, –
- ■ Soll ich Bier vom Einkaufen mitbringen?
- ● Nein, wir haben noch *welches*. (= *quantité indéterminée*)

man

	Nom.	man	*Man* macht im Urlaub nur, was *man* gerne tut.
	Acc.	einen	Diese laute Musik kann *einen* ziemlich stören. (*pas en début de phrase!*)
	Dat.	einem	Im Urlaub macht man nur, was *einem* gefällt. (*pas en début de phrase!*)

jemand, niemand

	Nom.	jemand, niemand	Leider hat mir *niemand* geholfen.
	Acc.	jemand(en), niemand(en)	Ja, ich sehe *jemand* dort hinten.
	Dat.	jemand(em), niemand(em)	Ich leihe *niemand* mein neues Auto.

Les formes en -*en*/-*em* sont moins souvent employées.

wer

	Nom.	wer	Achtung, da kommt *wer*.
	Acc.	wen	Siehst du *wen*?
	Dat.	wem	Gib das (irgend)*wem*. Ich brauche es nicht mehr.

viel, wenig

	Nom.	viel/vieles	*Viel*/*Vieles* war mir neu.
		wenig	Ihm hat nur *wenig* in diesem Geschäft gefallen.
	Acc.	viel/vieles	Ich habe *viel*/*vieles* nicht verstanden.
		wenig	Ich habe nur *wenig* verstanden.
	Dat.	vielem	Er war mit *vielem* nicht einverstanden.
		wenigem	Er war nur mit *wenigem* einverstanden.

alles

	Nom.	alles	*Alles*, was er sagte, war interessant.
	Acc.	alles	Ich habe *alles* gesehen.
	Dat.	allem	Ich bin mit *allem* einverstanden.

etwas, nichts

| | Nom. | ■ Haben Sie heute schon *etwas* gegessen? |
| | | ● Nein, noch *nichts*. |

▶ Exercices 9–14

Les mots interrogatifs

Mot interrogatif	L'interrogation porte sur...
■ **Warum** kommst du so spät? ● Weil ich verschlafen habe.	la cause
■ **Wann** bist du aufgewacht? ● Um 11 Uhr.	le temps
■ **Woher** kommen Sie? ● Aus Argentinien. ■ **Wo** sind Sie geboren? ● In Buenos Aires. ■ **Wohin** fahren Sie im Urlaub? ● Nach Brasilien.	le lieu
■ **Wie** geht es Ihnen? ● Danke, gut.	la manière
■ **Wer** sitzt da in deinem Auto? ● Das ist mein Bruder. ■ **Was** hat dir am besten geschmeckt? ● Die Suppe.	la personne (nom.) la chose (nom.)
■ **Wen** habt ihr gestern Abend getroffen? ● Meinen Kollegen. ■ **Was** habt ihr am Abend gemacht? ● Wir sind in die Disco gegangen.	la personne (acc.) la chose (acc.)
■ **Wem** hast du dein Fahrrad geliehen? ● Meiner Freundin.	la personne (dat.)

Question appelant une définition

■ Guten Tag, ich hätte gern eine Flasche Wein.	Question d'ordre général
● **Was für einen** möchten Sie?	
■ Einen französischen Rotwein.	
● Da hätten wir zum Beispiel einen sehr guten Bordeaux oder Beaujolais. **Welchen** möchten Sie gern probieren?	Question précise invitant à faire un choix
■ **Wie viel** Geld hast du dabei?	Singulier
● Ungefähr 50 Euro.	
■ **Wie viele** Flaschen Wein hast du gekauft?	Pluriel
● Drei.	

Mots interrogatifs avec préposition

■ **Über wen** ärgerst du dich denn jetzt schon wieder?	L'interrogation porte sur une personne
● Über meinen Freund. Er hat nie Zeit für mich.	
■ **Worüber** ärgerst du dich denn so?	Question indéterminée
● Über meine schlechte Note in der Prüfung.	

▶ *Verbes avec prépositions*, pages 79–80

interrogation directe	**interrogation indirecte**
• *avec un pronom interrogatif* **Was** machen Sie heute Abend?	Darf ich Sie fragen, **was** Sie heute Abend machen?
• *sans pronom interrogatif (question appelant la réponse oui/non)* Gehst du heute Abend mit ins Kino?	Sie möchte wissen, **ob** ich mit ins Kino gehe.

▶ Exercices 15–19

Les pronoms réfléchis

Ich habe **mich** im Urlaub gut erholt.   *sich erholen*
Les pronoms réfléchis
Ich wasche **mir** die Hände.   *sich waschen*
(pronom = datif)

	Singulier			**Pluriel**		
Nom. (*rare*)	ich	du	er, sie, es	wir	ihr	sie/Sie
Accusatif	mich	dich	sich	uns	euch	sich
Datif	mir	dir	sich	uns	euch	sich

▶ *Verbes réfléchis*, pages 50–52

Les pronoms relatifs

Emploi   Une proposition relative permet d'apporter un complément
d'information sur une personne ou une chose. Elle peut se
rapporter à un nom, à un pronom ou à une phrase entière.

Das ist mein Freund. Er spielt sehr gut Klavier.   *prop. principale + prop. principale*

Das ist mein Freund, **der** sehr gut Klavier spielt.   *prop. principale + prop. subordonnée*
          antécédent   pronom relatif

Das ist mein Freund. Ich habe ihn gezeichnet.   *prop. principale + prop. principale*

Das ist mein Freund, **den** ich gezeichnet habe.   *prop. principale + prop.subordonnée*
          antécédent   pronom relatif

L'antécédent détermine le genre (= masculin, féminin, neutre)et
le nombre (= singulier, pluriel) du pronom relatif.
Le cas du pronom relatif dépend de sa fonction dans la
subordonnée. On le détermine en se posant la question: est-il
sujet (= nominatif)? Est-il objet (= accusatif ou datif)? Est-il
complément de nom (= génitif)?

145

Formes

	masculin	féminin	neutre	pluriel
Nominatif	der	die	das	die
Accusatif	den	die	das	die
Datif	dem	der	dem	den**en**
Génitif	des**sen**	der**en**	des**sen**	der**en**

A l'exception des formes du génitif et de celle du datif pluriel, le pronom relatif est identique à l'article défini.

La subordonnée relative se rapporte à un nom

Pronom relatif = sujet (nominatif)
Das ist der Freund, **der** sehr gut Klavier spielt.

Pronom relatif = complément d'objet (accusatif)
Das ist der Freund, **den** ich im Urlaub kennengelernt habe.

Pronom relatif = objet (datif)
Das ist der Freund, **dem** ich schon viel von dir erzählt habe.

Pronom relatif = complément de nom (génitif)
Das ist der Freund, **dessen** Foto dir so gut gefallen hat.

Verbe + préposition
Der Pianist, **von dem** ich dir erzählt habe, heißt Antonio Vargas.

Lieu
Das ist das Haus, **in dem/wo** Mozart geboren ist.

Noms de villes et de pays
Das ist Salzburg, **wo** Mozart geboren ist.

Adjectif substantivé superlatif
Das ist das Beste, **was** du machen konntest.

La subordonnée relative se rapporte à un pronom

Après *das, etwas, nichts, alles, vieles …*
Er sagte mir alles, **was** er wusste.

Verbe + préposition
Es gibt vieles, **wofür** ich mich interessiere.

Après *jemand, niemand, einer, keiner …*
Vor der Tür steht jemand, **der** dich sprechen will.

Verbe + préposition
Es gibt hier niemand, **auf den** ich mich wirklich verlassen kann.

La subordonnée relative se rapporte à une phrase entière

Endlich hat er mein Auto repariert, **was** ich mir seit langem
gewünscht habe.

Verbe + préposition
Endlich hat er mein Auto repariert, **worauf** ich schon lange
gewartet habe.

La proposition subordonnée relative suit le plus directement
possible son antécédent. Mais si elle est longue ou qu'ensuite
il n'y a qu'un ou deux mots dans la principale, il est préférable
de terminer d'abord la proposition principale.

Gestern habe ich endlich Gabis neuen Freund, von dem sie
mir schon so viel erzählt hat, getroffen.
mieux:
Gestern habe ich endlich Gabis neuen Freund getroffen, von
dem sie mir schon so viel erzählt hat.

▶ Exercices 20–27

Le mot *es*

Le mot *es* peut avoir trois fonctions:

Pronom personnel (*es* est obligatoire)
Complément formel de certains verbes (*es* est obligatoire)
Pronom impersonnel en début de phrase 1 (*es* est facultatif)

Pronom personnel (*es* est obligatoire)

■ Wo ist mein Wörterbuch?
● **Es** liegt doch dort auf dem   *Nominatif*
   Tisch.*
ou:
● Ich sehe **es** auch nicht.*   *Accusatif*
                                             (jamais en début de phrase)

■ Wer ist der Mann?   *Interrogation portant sur*
                                            quelque chose de non connu

● Ich weiß nicht, wer das ist.
ou:
● Ich weiß **es** nicht.*   *remplace une subordonnée*

■ Mir gefällt **es** nicht, wenn   *sujet provisoire (expliqué*
   du immer zu spät zum   *dans la subordonnée qui suit)*
   Essen kommst.

* Dans ces phrases, on peut remplacer *es* par *das* .
  Das ne peut se trouver qu'en début de phrase:
  Das liegt doch dort auf dem Tisch.
  Das sehe ich auch nicht.
  Das weiß ich nicht.

Complément formel de certains verbes (*es* est obligatoire)

Es regnet.	*Phénomènes atmosphériques*
Es klingelt.	*Bruits*
Es ist spät.	*Moments de la journée et*
Es wird Abend.	*saisons*
Es wird Winter.	
Es geht mir gut.	*Sensations personnelles*
Es ist mir kalt.	
Es gefällt mir.	
Es schmeckt mir.	
Es tut weh.	
Es gibt …	*Expressions impersonnelles*
Es ist notwendig …	
Es ist verboten …	
Es ist möglich …	
Es tut mir leid …	
Ich habe es eilig.**	*Tournures de phrase*
Du machst es dir leicht.**	
Ich finde es hier schön.**	
Es handelt sich um …	

** Dans ces phrases, *es* ne peut se trouver en début de phrase.

Pronom explétif en début de phrase (*es* est facultatif)

Es n'a pas ici de signification propre. Il est donc facultatif pourvu qu'un autre membre de phrase passe en début de phrase.

Es warten schon die Gäste.
stylistiquement plus correct: Die Gäste warten schon.

Es wird hier eine neue Straße gebaut.
stylistiquement plus correct: Hier wird eine neue Straße gebaut.

▶ Exercices 28–29

1 Pronom personnel au nominatif: complétez.

1. Wo ist Papa? – _Er_ ist im Wohnzimmer.
2. Wo sind die Kinder? – _____ spielen in ihrem Zimmer.
3. Was macht Oma? – _____ kocht.
4. Dieses Kleid ist mir zu teuer. _____ kostet 149,– Euro.
5. Kommst du morgen auch zur Party? – Nein, _____ kann leider nicht.
6. Und was macht ihr am Wochenende? – _____ wissen es noch nicht.
7. Wann kommt sie denn endlich? – _____ weißt doch, _____ kommt immer zu spät.
8. Kinder, _____ sollt doch nicht so laut sein. Opa will schlafen.

3 Pronom personnel au datif: complétez.

1. Kannst du _____ bitte ein Glas aus der Küche mitbringen?
2. Wir haben schon verstanden. Mehr brauchst du _____ nicht zu erklären.
3. Wie geht es _____ ? Habt ihr immer noch so viel zu tun?
4. Du hast _____ wirklich viel geholfen. Ich weiß gar nicht, wie ich _____ dafür danken kann.
5. Frau Gärtner, ich kann _____ dabei leider nicht mehr helfen. Ich muss jetzt dringend weg.
6. Er ist immer so hilfsbereit. Deshalb helfe ich _____ auch immer.
7. Sie hat heute Geburtstag. Hast du _____ schon gratuliert?
8. Möchtest du wirklich nicht kommen? Überleg es _____ doch noch einmal.

2 Pronom personnel à l'accusatif: posez des questions et répondez-y.

-e Tasche	-s Geld
Schuhe (Pl.)	-r Mantel
-r Kalender	-s Buch
Schlüssel (Pl.)	~~-e Brille~~
-s Adressbuch	
Hunde (Pl.)	Antonia

Wo ist denn meine Brille? Ich finde sie nicht.
…

4 Pronom personnel à l'accusatif: complétez.

1. ▪ Ist Ingrid schon zu Hause?
   ● Ich weiß nicht, ich habe _____ noch nicht gesehen.
2. ▪ Haben Sie schon mit Herrn Müller gesprochen?
   ● Nein, ich habe _____ noch nicht getroffen.
3. ▪ Wissen Sie, dass sie ein neues Auto hat?
   ● Ja, ich habe _____ schon gesehen.
4. ▪ Wie geht es deiner Mutter? Ist sie immer noch krank?
   ● Ich weiß nicht, ich habe _____ heute noch nicht angerufen.
5. ▪ Wo ist mein Wörterbuch. Hast du _____ gesehen?
   ● Nein.
6. ▪ Geben Sie mir doch mal bitte den Terminkalender.
   ● Wo ist er? Ich finde _____ nicht.

5 Pronom personnel au nominatif (N), à l'accusatif (A) ou au datif (D): complétez.
Attention: dans une lettre, on écrit en majuscules l'initiale des pronoms se
rapportant à la personne à qui on s'adresse.

Sehr geehrte Frau Bremer, sehr geehrter Herr Bremer,

wie geht es __Ihnen__ *(D)? Wohin sind* _____ *(N) nach Ihrem Besuch bei*
_____ *(D) noch gefahren? Hatten* _____ *(N) noch eine schöne Zeit in*
Portugal?

Ich habe mich sehr gefreut, _____ *(A) nach so langer Zeit wiederzusehen*
und ein paar Tage mit _____ *(D) in unserem Haus am Meer zu verbringen.*
Es war eine sehr schöne Zeit, und ich denke noch oft daran.

_____ *(D) geht es gut.* _____ *(N) bin nach dem Urlaub wieder nach*
Lissabon zurückgekehrt und habe leider zur Zeit viel Arbeit. Aber ich hoffe
sehr, dass ich bald einmal Zeit habe, _____ *(A) in Düsseldorf zu besuchen.*

Herzliche Grüße *Mariana*

---

6 Ecrivez la lettre de l'exercice 5 à deux
amis en utilisant la forme *du.*

Liebe Monika, lieber Heinrich,

wie geht es __euch__ *(D)? Wohin seid ...*

7 Faites de petits dialogues.

Im Kaufhaus. Irene und Christina
brauchen noch ein paar Dinge für ihren
Urlaub.

-r Sonnenhut   -e Sonnenbrille

-s T-Shirt   Sandalen (Pl.)

    Badehandtücher (Pl.)

- r Minirock   -e Tasche

~~-r Badeanzug~~

■ *Ich brauche noch einen Badeanzug.*
Wie findest du diesen hier?
● *Den finde ich nicht so schön.*
■ *Und den hier?*
● *Der ist besser.*
...

8 Faites de petits dialogues.

Im Möbelgeschäft. Herr und Frau Bertelsheim suchen Möbel für ihre neue Wohnung. Herr Bertelsheim hat immer etwas zu kritisieren.

klein	-s Bett -s Sofa
~~groß~~	-e Kommode
hässlich	-e Wanduhr
modern	~~-r Schrank~~
teuer breit	-r Teppich
altmodisch	Lampen (Pl.)
dunkel	-r Tisch

■ *Wie findest du diesen Schrank?*
● *Den da? Der ist viel zu groß.*
…

10 Complétez les réponses suivant le modèle.

1. Ist das Peters Kassette (f.)? – Ja, das ist *seine* .
2. Ist das Elisabeths Mantel (m.)? – Nein, das ist m_____ .
3. Ist das rote hier euer Auto (n.)? – Ja, das ist _____ .
4. Ist das Ihre CD (f.)? – Nein, das ist s_____ .
5. Ist das deine Brieftasche (f.)? – Ja, das ist _____ .
6. Ist das Theos Fahrrad (n.)? – Nein, das ist m_____ .
7. Ist das dein Bleistift (m.)? – Ja, das ist _____ .
8. Ist das Katharinas und Angelas Spielzeug (n.)? – Ja, das ist _____ .

9 Faites de petits dialogues.

-s Gasthaus	-r Bahnhof
-s Kino	-e Bäckerei
-e Bank	-r Kinderspielplatz
-r Strand	~~-s Hotel~~ -e Kirche
	-r Arzt

■ *Entschuldigen Sie bitte, gibt es hier in diesem Dorf ein Hotel?*
● *Ja, hier gibt es eins.*
oder:
● *Nein, hier gibt es keins.*
…

11 Complétez avec *einer, eine, eins, welche* ou *keiner, keine, keins, keine.*

1. ■ Ich brauche schnell einen Stift.
   ● Dort drüben liegt doch *einer* .
2. ■ Möchtest du ein Eis?
   ● Nein danke, jetzt möchte ich _____ , ich habe vorhin erst _____ gegessen.
3. ■ Was suchen Sie denn?
   ● Ein Glas. Ich hatte schon _____ , aber ich weiß nicht mehr, wo es ist.
   ■ Kein Problem, dort hinten stehen noch _____ .
4. ■ Das ist aber ein toller Pullover. So _____ hätte ich auch gern.
   ● Dann kauf dir doch auch _____ , es gibt noch _____ .
5. ■ Wo sind denn die Zitronen?
   ● Ich habe _____ gekauft.
   ■ Aber warum denn nicht?
   ● Es gab _____ mehr.

12 Complétez avec *man, irgend-einer, jemand, niemand, jeder, wer.*

1. Bitte stell das Telefon leise.
   Ich möchte jetzt schlafen und
   mit _____ sprechen.
2. Das ist nicht so schlimm. Das kann
   doch _____ mal passieren!
3. Könnte mir bitte _____
   von euch kurz helfen? Ich muss
   diese Bücher hier in die Bibliothek
   bringen.
4. _____ nichts hat, dem
   kann _____ auch nichts
   nehmen. (Sprichwort)
5. _____ braucht nicht
   immer alles so zu machen wie
   die anderen.
6. Ach, da sind Sie ja, gerade hat
   _____ für Sie angerufen.
   Ich habe den Namen hier
   aufgeschrieben.
7. Tut uns Leid, aber heute hat
   _____ von uns Zeit, zur
   Firma Hellwig zu fahren. – Das gibt
   es doch nicht, _____ von
   Ihnen wird doch wohl eine halbe
   Stunde Zeit haben!
8. Die Reifen am Auto wechseln?
   Das ist doch kein Problem, das
   kann doch _____ !
   Und _____ das nicht
   kann, muss eben dafür bezahlen.
9. Weiß _____ von Ihnen,
   wie spät es ist?
10. Dieser ewige Regen macht
    _____ ganz schön
    depressiv.

13 Ecrivez les terminaisons.

1. ▦ Wohnst du schon lange hier in
     dies___ Stadt?
   ● Ja, seit mein___ Kindheit. Ich
     kenne hier jed___ Straße, jed___
     Haus und natürlich all___ Leute,
     die in unser___ Haus leben.
     Einig___ von ihnen habe ich
     allerdings lange nicht mehr
     gesehen.
2. ▦ Welcher Pullover gefällt Ihnen
     besser? Dies___ rote oder d___
     blaue dort?
   ● Ich finde beid___ nicht schön.
     Schauen Sie doch mal, wie
     gefällt Ihnen dies___ hier?
3. ▦ Magst du die Musik von Phil
     Collins?
   ● Manch___ Stücke finde ich ganz
     gut, aber nicht all___ .
   ▦ Welche gefallen dir denn nicht?
   ● Dies___ langsamen finde ich
     schrecklich langweilig.
4. ▦ Frau Rautmann ist doch wirklich
     super! Sie hilft all___ Studenten
     und ist immer so freundlich.
   ● Ja, das stimmt wirklich. Und
     dabei können einig___ von
     ihnen ganz schön nerven!
     Aber sie behält immer die Ruhe.
5. ▦ Warum ziehst du denn immer
     dies___ hässliche Jacke an?
   ● Ich habe sonst kein___ .
   ▦ Dann kauf dir doch mal ein___
     neue. Gefällt sie denn dein___
     Freundin?
   ● Ja, sie findet sie auch toll.

14 Complétez avec *etwas, nichts, viel, wenig, alles* ou *viele, wenige*.

1. Ich kann leider keine großen Reisen machen. Ich verdiene nur _____ .
2. Du denkst immer, dass du _____ besser weißt.
3. Kannst du mir etwas über Goethe erzählen? Du weißt doch _____ über ihn.
4. Heute haben _____ Leute ein Auto.
5. Sie möchte wirklich Deutsch lernen, aber leider hat sie so _____ Zeit.
6. Ich weiß nicht, was er macht. Ich habe lange _____ von ihm gehört.
7. Was, mit nur so _____ Gepäck willst du vier Wochen in Urlaub fahren? Das reicht nie!
8. Ich habe Ihnen schon _____ gesagt, was ich weiß.
9. Ich habe in meiner Schulzeit schon Deutsch gelernt. Aber leider habe ich _____ vergessen und muss es jetzt noch einmal lernen.
10. Haben Sie _____ verstanden? – Nein, nicht sehr _____ .

15 Quelle réponse va avec quelle question?

1	2	3	4	5	6	7

1. Wann kommst du zurück?
2. Wer hat das gesagt?
3. Mit wem hast du gerade telefoniert?
4. Woher kommen Sie?
5. Wie geht es Ihnen?
6. Was machen Sie am Samstag?
7. Warum lernst du so viel?

a Mit meinem Freund.
b Weil ich morgen eine Prüfung habe.
c Ich fahre in die Berge.
d Ungefähr in einer Stunde.
e Mein Vater.
f Aus Finnland.
g Danke gut.

16 Mot interrogatif: complétez les phrases interrogatives.

1. _____ sind Sie heute früh aufgestanden? – Um sechs Uhr.
2. _____ hast du Frau Berger nicht gegrüßt? – Weil ich sie nicht gesehen habe.
3. _____ hast du morgen zum Abendessen eingeladen? – Julia.
4. _____ haben Sie Deutsch gelernt? – In der Schule.
5. _____ hat Ihnen der Film gefallen? – Sehr gut.
6. _____ Stadt hat Ihnen besser gefallen, Hamburg oder Berlin? – Berlin.
7. _____ hast du dein Auto geliehen? – Meinem Freund.
8. _____ hat denn gerade angerufen? – Mein Bruder.

17 Complétez avec *welcher, welche, welches* ou *was für ein, was für welche.*

1. ■ _____ Fahrrad haben Sie sich denn gekauft?
   ● Ein Mountainbike.

2. ■ _____ Eis magst du lieber? Deutsches oder italienisches?
   ● Italienisches.

3. ■ _____ deutsche Oper gefällt dir am besten?
   ● Die Zauberflöte.

4. ■ _____ Computer soll ich mir denn kaufen?
   ● Da kann ich dir leider nicht helfen. Ich habe nicht viel Ahnung von Computern.

18 Posez les questions.

1. Ich fahre morgen nach XY.
   Wohin fahren Sie morgen?

2. Die Gäste kommen um XY Uhr.

3. Meine Freundin wohnt in XY.

4. Ich möchte lieber XY.

5. Ich denke immer noch oft an XY.

6. XY kommt uns am Wochenende besuchen.

7. Gestern habe ich XY getroffen.

8. Ich heiße XY.

9. Wir haben XY ein lustiges Buch geschenkt.

10. Mein Mann interessiert sich gar nicht für XY.

19 Quelles sont les questions possibles?

1. _Woher kommen Sie?_ _____ – Aus Russland.

2. _____ – In Moskau.

3. _____ – Vor zwei Stunden.

4. _____ – Meinem Kind.

5. _____ – Auf den Bus.

6. _____ – Das ist die Brieftasche meines Vaters.

7. _____ – Der Polizist.

8. _____ – Im Hotel „Gloria".

20 Reliez les phrases de la liste de gauche à celles correspondantes de la liste de droite.

1	
2	
3	
4	
5	
6	

1. Ich mag gern Leute,
2. Sie interessiert sich für vieles,
3. Das ist meine Kollegin,
4. Wie heißt der Schriftsteller,
5. Sind das deine Freunde,
6. Ich fahre im Januar nach Andalusien,

a der den „Zauberberg" geschrieben hat?
b mit denen du immer Ski fahren gehst?
c die lustig sind.
d wo auch im Winter meistens die Sonne scheint.
e wofür ich mich auch interessiere.
f die mir sehr geholfen hat.

21 Formez des phrases.

Elena sucht einen Mann, …

1. groß – ist – schlank – der – und
   … der groß und schlank ist.
2. tanzen – dem – sie – oft – gehen – mit – kann
3. sie – den – kann – bewundern
4. Charakter – gefällt – dessen – ihr
5. sie – Spaß – mit – machen – dem – kann – viel
6. gern – macht – der – Sport

22 Complétez par un pronom relatif.

1. Wer ist der Mann,
   _____ du gestern getroffen hast?
   _____ dort hinten steht?
   _____ du so lange Briefe schreibst?
2. Wer ist die Frau,
   _____ du gestern getroffen hast?
   _____ dort hinten steht?
   _____ du so lange Briefe schreibst?
3. Was sind das für Leute,
   _____ du gestern getroffen hast?
   _____ dort hinten stehen?
   _____ du so lange Briefe schreibst?

23 Expliquez les mots en utilisant une proposition subordonnée relative.

1. Tennisschuhe (Schuhe, zum Tennisspielen anziehen)
   Das sind Schuhe, die man zum Tennisspielen anzieht.
2. Meerestier (Tier, im Meer leben)
3. Wochenzeitung (Zeitung, einmal pro Woche erscheinen)
4. Sprachschule (Schule, Sprachen lernen)
5. Spielcasino (Haus, Leute spielen Roulette)
6. Kinderbett
7. Student
8. Gästezimmer
9. Skischuhe
10. Heizofen

24 Verbes avec préposition dans la subordonnée
relative: *auf das* ou *worauf*?

> Le pronom relatif se rapporte à une chose ou à une personne (également les
> pronoms *jemand, niemand, k/einer*): *von dem, auf den, für die …*
>
> *Das Paket, auf das ich schon lange gewartet habe, ist heute endlich angekommen.*
> *Es gibt hier niemand, auf den ich mich wirklich verlassen kann.*
>
> Le pronom relatif se rapporte à une phrase entière ou aux pronoms *vieles, alles,*
> *nichts, etwas, einiges …: worauf, wofür, wovon, womit …*
>
> *Endlich hat sie uns besucht, worauf wir schon lange gewartet haben.*
> *Ich muss immer alles machen, worum sie sich nicht kümmert.*

Complétez les phrases. Les deux formes sont parfois possibles.

1. Die Frau, _____ ich mich im Urlaub so verliebt habe, hat mich gestern
   angerufen. (sich verlieben in + Akk.)
2. Das ist etwas, _____ ich mich auch sehr interessiere. (sich interessieren
   für + Akk.)
3. Die Arbeiter haben eine Lohnerhöhung bekommen, _____ sie lange
   gekämpft haben. (kämpfen für + Akk.)
4. Leider hat mich niemand im Krankenhaus besucht, _____ ich mich sehr
   geärgert habe. (sich ärgern über + Akk.)
5. Letzte Woche ist meine kranke Nachbarin gestorben, _____ ich mich in
   den letzten Monaten viel gekümmert habe. (sich kümmern um + Akk.)
6. Zum Glück hat er die Hausschlüssel mitgenommen, _____ ich nicht
   gedacht habe. (denken an + Akk.)
7. Die neue Lektion, _____ wir heute im Unterricht begonnen haben, ist
   sehr interessant. (beginnen mit + Dat.)
8. Gibt es denn nichts, _____ du dich freust? (sich freuen über + Akk.)

25 Génitif: Complétez avec un pronom relatif.

1. Eine Frau/Ein Kind/Ein Mann, …
   … _____ Namen ich leider vergessen habe, hat gestern angerufen.
2. Ein Freund/Eine Freundin, …
   … _____ Fahrrad kaputt war, wollte sich meins leihen.
3. Eine Blume/ein Baum/ein Busch, …
   _____ Blätter plötzlich braun werden, ist krank.

26 Complétez par le pronom relatif qui convient.

1. Ich möchte nur in Wohnungen wohnen,
   - _____ einen großen Balkon haben.
   - _____ Fußböden aus Holz sind.
   - _____ ich Trompete spielen darf.
   - _____ im Stadtzentrum liegen.

2. Ich mache einiges,
   - _____ mein Chef besser nicht wissen sollte.
   - _____ sich meine Eltern ärgern.
   - _____ ich mich früher nie interessiert hätte.
   - _____ schlecht für meine Gesundheit ist.

3. Rom ist eine Stadt,
   - _____ mir sehr gefällt.
   - _____ es viele alte Kirchen gibt.
   - _____ ich gern mal wieder fahren würde.
   - _____ man sehr gut leben kann.

4. Meine Tochter hat ihr Examen bestanden,
   - _____ ich nie erwartet hätte.
   - _____ ich mich sehr gefreut habe.
   - _____ sie viel gelernt hat.
   - _____ sie sehr glücklich gemacht hat.

5. Johannes ist jemand,
   - _____ immer zu viel Geld ausgibt.
   - _____ ich mich oft ärgere.
   - _____ man nicht vertrauen kann.
   - _____ mit den Frauen spielt.

27 Complétez par le pronom relatif qui convient.

1. Ich möchte in einer Stadt wohnen, _____ es viele gute Cafes gibt.
2. Das ist das Dümmste, _____ ich je gehört habe.
3. Kinder, _____ Eltern berufstätig sind, werden meist früher selbständig.
4. Das ist genau das, _____ ich auch sagen wollte.
5. Ich mag keine Leute, _____ nicht zuhören können.
6. Hier ist ein Foto von Torremolinos, _____ wir immer Urlaub machen.
7. Das ist alles, _____ ich Ihnen zu diesem Thema sagen kann.
8. Wie heißt der Autor, _____ neues Buch du so gut fandest?
9. Gestern hat mich mein Chef im Krankenhaus besucht, _____ ich nie erwartet habe.
10. Hast du Freunde, _____ du dich wirklich verlassen kannst?
11. Paris, _____ ich komme, ist für mich die schönste Stadt der Welt.
12. Ich kann nicht mit Frauen zusammen sein, _____ Parfüm mir nicht gefällt.

28 Où manque-t-il *es*?
Complétez les phrases suivantes.

1. _Es_ ist mir klar, dass ich noch viel lernen muss.
2. Mir ist ___ klar, dass ich noch viel lernen muss.
3. In diesem Restaurant wird ___ sehr gut gekocht.
4. Komm, wir gehen nach Hause. ___ wird bald dunkel.
5. Wohin hast du mein Buch getan? – Schau doch, dort auf dem Stuhl liegt ___ .
6. Heute Abend wird ___ im Fernsehen ein interessanter Film gezeigt.
7. Wir brauchen noch Stühle. ___ kommen sicher viele Leute.
8. ___ ist wichtig, dass wir uns gesund ernähren.
9. Morgen regnet ___ sicher.
10. Hat er das Paket schon zur Post gebracht? – Ich weiß ___ nicht.
11. Hast du gestern Abend das Fußballspiel gesehen? – Nein, ich konnte ___ leider nicht sehen, weil unser Fernseher kaputt ist.
12. ___ tut mir leid, dass ich Sie gestört habe.

29 Formez des phrases avec ou sans *es*.

1. notwendig – ist / früh – wir – aufstehen – dass – morgen
   Es ist notwendig, dass wir morgen früh aufstehen.

2. mir – sagen – Sie / passiert – ist – wie

3. gehört – du – hast / geklingelt – hat – ob?

4. spät – ist – schon

5. dem Kranken – gut – wieder – geht – zum Glück

6. er – eilig – immer – hat – leider

7. Rauchen – verboten – ist – hier

8. mir – nicht – gefällt / so viel – wenn – fernsehen – du

3.1 Les Mots invariables
La préposition

Les prépositions servent à établir une relation entre divers éléments d'une phrase.

On peut les trouver

devant un nom	Ich fahre *nach Deutschland*.
devant un pronom	Ich komme später *zu dir*.
devant un adverbe	Gehen Sie bitte *nach rechts*.

Certaines prépositions peuvent se placer avant ou après un nom ou un pronom (*entlang, gegenüber, nach*).

Vue d'ensemble

Les prépositions qui gouvernent toujours le même cas

+ datif	+ accusatif	+ génitif
aus	durch	während*
bei	für	wegen*
mit	gegen	(an)statt*
nach	ohne	trotz*
seit	um	
von		
zu		
ab	entlang	außerhalb
gegenüber	(*après le nom*)	innerhalb

* Très souvent suivies du datif dans le langage courant.

Les prépositions mixtes

suivies du datif ou de l'accusatif		
an	in	unter
auf	neben	vor
hinter	über	zwischen

Prépositions mixtes marquant le lieu	wo?	→	datif
	wohin?	→	accusatif
Prépositions mixtes marquant le temps	wann?	→	datif

Contractions

En liaison avec l'article défini – lorsqu'il n'est pas accentué – certaines prépositions peuvent avoir une forme contractée:

an	+	dem	→	am	Das Rathaus liegt am Marktplatz.
an	+	das	→	ans	Wir fahren ans Meer.
bei	+	dem	→	beim	Ich habe mich beim Skifahren verletzt.
in	+	das	→	ins	Ich gehe jetzt ins Kino.
in	+	dem	→	im	Im letzten Sommer war es hier sehr heiß.
von	+	dem	→	vom	Ich habe das vom Chef gehört.
zu	+	der	→	zur	Ich gehe jetzt zur Schule.
zu	+	dem	→	zum	Ich gehe jetzt zum Supermarkt.

mais: Ich gehe jetzt *in das* Kino, das du mir empfohlen hast.

On évoque ici un cinéma bien précis. L'article est accentué et la forme contractée est alors impossible.

Les prépositions marquant le lieu

Les prépositions marquant le lieu répondent aux questions:

Woher komme ich?　→ origine
Wo bin ich?　→ lieu
Wohin gehe ich?　→ direction, destination, but

	d'où?		où? sans déplacement	où? avec déplacement
①	aus	↔	in + *dat.*	nach
②	aus	↔	in + *dat.*	in + *acc..*
③	von		auf + *dat.*	auf + *acc..*
④	von		an + *dat.*	an + *acc..*
⑤	von		an + *dat.*	zu
⑥	aus		in	zu
⑦	von		bei	zu
	Origine		**Lieu**	**Direction, destination**
	aus, von		an, auf, in, bei	an, auf, in, nach, zu

Différence entre *aus* et *von*:

- On utilise *aus* lorsqu'on peut dire également *in:*
  Ich nehme das Buch *aus dem* Regal.
  Ich lege das Buch *ins* Regal.

- On utilise *von* lorsqu'on ne peut pas dire *in*:
  Ich komme gerade *vom* Strand.
  Ich gehe *an den / zum* Strand.

A partir du petit tableau suivant, on peut retenir quelques règles simples:

an	au bord, en bordure de quelque chose
nach	uniquement avec des noms de villes, de pays, de continents
zu	direction, destination, but

Les prépositions marquant le lieu (sans et avec déplacement)

	Wo sind Sie?	**Wohin** gehen/fahren Sie?
①	**in** + *dat.*	**nach**
ville	Ich wohne *in* Rom.	Ich fahre *nach* Rom.
pays (sans article)	Ich wohne *in* Italien.	Ich fahre *nach* Italien.
②	**in** + *dat.*	**in** + *acc.*
bâtiment	Ich bin gerade *im* Büro.	Ich gehe jetzt *ins* Büro.
région, massif montagneux	Ich wohne *im* Schwarzwald.	Ich fahre *in den* Schwarzwald.
pays (avec article)	Ich wohne *in der* Schweiz.	Ich fahre *in die* Schweiz.
rue	Ich wohne *in der* Maistraße.	Ich gehe *in die* Maistraße.
③	**auf** + *dat.*	**auf** + *acc.*
place	Die Suppe steht *auf* dem Tisch.	Ich stelle die Suppe *auf den* Tisch.
montagne	Ich war heute *auf* der Zugspitze.	Ich gehe morgen *auf die* Zugspitze.
archipel	Wir waren *auf* den Malediven.	Wir fahren *auf die* Malediven.
île	Wir waren *auf* Kreta.	Wir fahren *auf/nach* Kreta.
④	**an** + *dat.*	**an** + *acc.*
mer, fleuve, lac	Ich mache Urlaub *am* Mittelmeer.	Ich fahre *ans* Mittelmeer.
plage, rive	Ich war heute lange *am* Strand.	Ich gehe *an den/zum* Strand.
⑤	**an** + *dat.*	**zu**
nom de place	Ich bin gerade *am* Marktplatz.	Ich gehe jetzt *zum* Marktplatz.
⑥	**in** + *dat.*	**zu**
magasin, boutique	Ich bin gerade *in der* Apotheke.	Ich gehe jetzt *zur* Apotheke.
banque, poste	Ich bin gerade *in/auf der* Post.	Ich gehe *zur/auf die* Post.
⑦	**bei**	**zu**
personne	Ich war gerade *beim* Chef. *exception* Ich bin gerade *zu* Hause.	Ich gehe jetzt *zum* Chef. Ich gehe jetzt *nach* Hause.

163

Les prépositions mixtes marquant le lieu

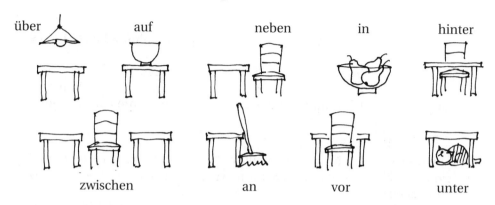

über   auf   neben   in   hinter

zwischen   an   vor   unter

setzen / sitzen – stellen / stehen – legen / liegen – hängen / hängen

On utilise souvent, en liaison avec les prépositions mixtes marquant le lieu, un groupe de verbes qui, tout en se ressemblant, imposent un cas différent (verbes de mouvement et verbes de position).

Déplacement, changement de lieu	Résultat d'une action, repos
wohin + accusatif	**wo** + datif
(sich) setzen, setzte, hat gesetzt Ich setze mich *auf das* Sofa.	sitzen, saß, ist / hat gesessen Ich sitze *auf dem* Sofa.
(sich) stellen, stellte, hat gestellt Ich stelle das Glas *auf den* Tisch.	stehen, stand, ist / hat gestanden Das Glas steht *auf dem* Tisch.
(sich) legen, legte, hat gelegt Ich lege mich jetzt *ins* Bett.	liegen, lag, ist / hat gelegen Ich liege schon *im* Bett.
hängen, hängte, hat gehängt Ich hänge die Lampe *über den* Esstisch.	hängen, hing, ist / hat gehangen Die Lampe hängt *über dem* Esstisch.
verbes de mouvement réguliers	verbes de position irréguliers

164

Liste des prépositions marquant le lieu

Suivies du datif

ab	point de départ	Ich fliege *ab* Frankfurt mit Lufthansa.
aus	déplacement à partir d'un lieu (origine)	Sie geht *aus dem* Haus. Sie kommt *aus* Deutschland.
bei	proximité d'un lieu localisation (personne) lieu de travail	Wiesbaden liegt *bei* Frankfurt. Ich wohne noch *bei meinen* Eltern. Ich arbeite *bei* Siemens.
gegenüber	autre côté (en face de)

suit nom d'une personne | *Gegenüber der* Post gibt es ein Café. *Der* Post *gegenüber* gibt es ein Café. *Mir gegenüber* saß ein netter Mann. |
| **nach** | noms de lieux ou de pays sans article direction | Ich fahre morgen *nach* Hamburg. Ich fahre *nach* Holland / Spanien.* Gehen Sie *nach* unten / links / Osten. |
| **von** | point de départ

remplace le génitif | Ich komme gerade *vom* Büro / *von meiner* Freundin / *von* unten. Das ist die Kassette *von meinem* Bruder. |
| **zu** | but, destination | Ich fahre *zu meinem* Freund / *zum* Bahnhof. |

* Pour les noms de pays avec article: Ich fahre *in die* Schweiz / *in die* Türkei …

Suivies de l'accusatif

bis

bis zu + *dat.* bis an | destination finale sans article destination finale avec article | *Bis* Frankfurt am Main sind es mindestens noch 200 km. *Bis zum* Strand sind es 5 Minuten. Geh nicht *bis an den* Rand des Abhangs! |
durch	déplacement à travers qqch.	Die Katze springt *durch das* Fenster.
entlang	déplacement le long de qqch. *(suit le complément)*	Gehen Sie immer *diese* Straße *entlang*.
gegen	direction avec impact (contre)	Das Auto fuhr *gegen den* Baum.
um (herum)	autour d'un point central	Die Kinder sitzen *um den* Tisch. Ich gehe *um das* Haus (herum).

Suivies du datif ou de l'accusatif (mixtes)

an	contact latéral	wo	Das Bild hängt *an der* Wand.
		wohin	Ich hänge das Bild *an die* Wand.
	bord, bordure	wo	Köln liegt *am* Rhein.
		wohin	Wir fahren *ans* Meer.
	place	wo	Der Tisch steht *an der* Wand.
		wohin	Ich stelle den Tisch *an die* Wand.
auf	contact par le dessus	wo	Die Tasse steht *auf dem* Tisch.
		wohin	Ich stelle die Tasse *auf den* Tisch.
	poste, banque	wo	Er arbeitet *auf der* Post.
		wohin	Ich gehe jetzt *auf die* Bank.
hinter	derrière qqun ou qqch.	wo	Das Kind versteckt sich *hinter der* Mutter.
		wohin	Er stellt den Koffer *hinter die* Tür.
in	à l'intérieur de	wo	Ich liege *im* Bett.
		wohin	Ich lege mich jetzt *ins* Bett.
	limite dans l'espace	wo	Die Kinder spielen *im* Garten.
		wohin	Ich gehe jetzt *in den* Garten.
	partie du monde	wo	Wir waren schon *in* Europa.
		wohin	– (voir *nach*)
	pays, villes	wo	Wir waren schon *in* Italien / *in* Rom.
		wohin	– (voir *nach*)
	région	wo	Wir waren schon *im* Schwarzwald / *im* Gebirge.
		wohin	Wir fahren *in den* Schwarzwald / *ins* Gebirge.
neben	proximité immédiate, à côté de	wo	Der Schrank steht *neben der* Tür.
		wohin	Wir stellen den Schrank *neben die* Tür.
über	au-dessus de (sans contact)	wo	Die Lampe hängt *über dem* Tisch.
		wohin	Wir hängen die Lampe *über den* Tisch.
	déplacement transversal	wo	–
		wohin	Wir gehen schnell *über die* Straße.

	lieu sur un itinéraire	wo	–
		wohin	Wir fahren *über* Frankfurt nach München.
unter	en dessous de	wo	Die Katze liegt *unter der* Bank.
		wohin	Die Katze legt sich *unter die* Bank.
	groupe	wo	*Unter den* Zuhörern wird eine Reise verlost.
		wohin	Sie verteilen Flugblätter *unter die* Passanten.
vor	devant qqun ou qqch. premier plan	wo	*Vor dem* Haus steht ein alter Baum.
		wohin	Wir stellen das Auto *vor die* Garage.
zwischen	à peu près au milieu	wo	Ich sitze *zwischen den* beiden Kindern.
		wohin	Ich setze mich *zwischen die* beiden Kinder.

Suivies du génitif

| **außerhalb** | à l'extérieur | Ich wohne lieber *außerhalb* der Stadt. |
| **innerhalb** | à l'intérieur | Diese Fahrkarte ist nur *innerhalb* der Stadt gültig. |

wohin + accusatif

direction, déplacement vers une destination

wo + datif

lieu, déplacement à l'intérieur d'un lieu

▶ Exercices 1–17

Les prépositions marquant le temps

Les prépositions marquant le temps répondent à la question:

Wann passiert etwas?   → moment précis, durée

Prépositions gouvernant toujours le même cas

+ datif	+ accusatif	+ génitif
ab	bis	während*
aus	für	innerhalb
bei	gegen	außerhalb
nach	um	
seit		
von (… bis / an)		
zu		

* Très souvent suivie du datif dans le langage courant.

Prépositions mixtes

+ datif	+ accusatif
an	über
in	
vor	
zwischen	

Prépositions mixtes marquant le lieu	wo? → datif	wohin? → accusatif
Prépositions mixtes marquant le temps	wann? → datif (exception: *über*)	

Moment précis

an + *dat.*	jour date moment de la journée jour férié	Hoffentlich schneit es *am* Sonntag! J.W. von Goethe ist *am* 28.8.1749 geboren. Ich gehe *am* Nachmittag ins Schwimmbad. Ausnahme: *in der* Nacht Wir kommen *an* Weihnachten.
aus + *dat.*	origine temporelle	Dieses Bild ist *aus dem* 18. Jahrhundert.
gegen + *acc.*	moment approximatif de la journée heure approximative	Wir kommen *gegen* Mittag zurück. Wir kommen *gegen* 13 Uhr zurück.
in + *dat.**	semaine mois saison siècle moment dans le futur	Ich mache das *in der* nächsten Woche. Er besucht mich *im* Mai. Wir fahren *im* Winter nach Teneriffa. Mozart ist *im* 18. Jahrhundert geboren. Ich bin *in* fünf Minuten zurück.
nach + *dat.*	après qqch. d'autre	Kommst du *nach dem* Unterricht zu mir?
um + *acc.*	heure précise date approximative	Der Zug kommt *um* 15.34 Uhr an. J.W. von Goethe ist so *um* 1750 geboren.
vor + *dat.*	avant qqch. d'autre	Gehen wir *vor dem* Abendessen noch spazieren?

* L'année s'écrit seule ou en liaison avec *im Jahre* (forme vieillie):
J.W. von Goethe ist 1749 geboren. – J.W. von Goethe ist im Jahre 1749 geboren.

Durée

ab + *dat.* **von … an** + *dat.*	début dans le présent début dans le futur	*Ab* heute habe ich Urlaub. *Von* heute *an* habe ich Urlaub. *Ab* nächster Woche habe ich Urlaub. *Von* nächster Woche *an* habe ich Urlaub.
seit + *dat.*	début dans le passé	Meine Mutter ist *seit* Montag zu Besuch.
von + *dat.* **… bis**	début et fin	Ich habe *vom* 15. *bis* 29.5. Urlaub.
zwischen + *dat.*	début et fin	*Zwischen dem* 2. und 5. April ist das Büro geschlossen.
in + *Dat.*	durée (imprécise)	*In den* letzten Jahren war ich oft krank.

bis + *dat.*	terme	Ich habe noch *bis* Sonntag Urlaub.
innerhalb + *gén.*	terme	Diese Arbeit muss *innerhalb eines* Monats fertig sein.*
innerhalb von + *dat.*	terme	Diese Arbeit muss *innerhalb von einem* Monat fertig sein.*
außerhalb + *gén.*	durée	*Außerhalb der* Bürozeiten können Sie eine Nachricht auf dem Anrufbeantworter hinterlassen.
bei + *dat.*	moment précis/durée	*Beim* Essen erzählte sie mir von ihrer Reise. (oft mit substantiviertem Verb gebraucht)
während + *gén./dat.*	durée	*Während des* Essens erzählte sie mir von ihrer Reise. *
zu	durée	*Zu dieser* Zeit war ich in Urlaub.
über + *acc.*	durée	Wir fahren *übers* Wochenende weg.
–/… lang *(placé après) la préposition)*	durée dans le présent ou le passé	Wir waren im Juli drei Wochen in Rom. Wir waren im Juli drei Wochen *lang* in Rom.**
–/für …	durée dans le futur	Ich bleibe zwei Jahre in Deutschland. Ich bleibe *für* zwei Jahre in Deutschland.**

* Suivie du génitif surtout dans la langue écrite; suivie du datif dans la langue courante.
** Dans cette phrase, la préposition n'est pas indispensable.

▶ Exercices 18–25

Les prépositions marquant la manière

Les prépositions marquant la manière répondent aux questions:

Wie mache ich das? → manière
Wie ist das? → propriété, nature

Prépositions gouvernant toujours le même cas	+ datif	+ accusatif
	aus	ohne
	mit	
	nach	
	zu	

Prépositions mixtes	+ datif	+ accusatif
	in	auf

auf + *acc.*	Dieser Film ist *auf* Deutsch. Er macht alles *auf* seine Art.
aus + *dat.*	Dieser Pullover ist *aus* Baumwolle.
in + *dat.*	Ich habe jetzt leider keine Zeit. Ich bin *in* Eile. Ich habe das nur *im* Spaß gesagt.
mit + *dat.*	Ich fahre *mit dem* Zug nach Dresden. Sie trinkt Tee immer *mit* Milch.
nach + *dat.* *(placé après le complément)*	Meiner Meinung *nach* wird es heute noch regnen. Bitte der Reihe *nach* anstellen.
ohne + *acc.*	Er macht nichts *ohne* seine Frau.
zu + *dat.*	Ich gehe gern noch ein bisschen *zu* Fuß. *Zum* Glück ist sie nicht verletzt.

▶ Exercice 26

Les prépositions marquant la cause

Les prépositions marquant la cause répondent à la question:

Warum ist das so?   → cause, origine

Prépositions gouvernant toujours le même cas	+ datif	+ génitif/datif
	aus bei	wegen

Prépositions mixtes	+ datif
	vor

aus + *dat.*	motivation d'une action	Ich helfe ihr *aus* Mitleid / *aus* Freundschaft. Er ist sehr krank. *Aus diesem* Grund müsst ihr ihm helfen.
bei + *dat.*	cause/origine	*Bei diesem* schlechten Wetter gehe ich nicht spazieren.
vor + *dat.*	effet produit sur qqun.	Sie zittert *vor* Angst / *vor* Kälte. Das Kind weint *vor* Schmerzen.
wegen + *gén./dat.*	cause/origine	*Wegen des* schlechten Wetters hat das Fußballspiel nicht stattgefunden. *Wegen dir* sind wir zu spät gekommen!

Les éléments de phrase dépendant de la préposition causale peuvent être remplacés par une proposition subordonnée introduite par *weil*:

Ich helfe ihr *aus* Mitleid.   →   Ich helfe ihr, *weil* ich Mitleid mit ihr habe.
Sie zittert *vor* Angst.   →   Sie zittert, *weil* sie Angst hat.

▶ Exercice 27

1 *in, an, auf, zu* (= wohin?) – *aus, von* (= woher?): mettez la préposition et l'article.
Deux solutions sont parfois possibles.

Sie geht / fährt …

1. _zur/in die_ Bäckerei (f.).
2. _____ Büro (n.).
3. _____ Kirchplatz (m.).
4. _____ Fichtelgebirge (n.).
5. _____ Bank (f.).
6. _____ Supermarkt (m.) zum Einkaufen.
7. _____ See (m.) zum Schwimmen.
8. _____ Kanarischen Inseln (Pl.).
9. _____ Blumenstraße (f.).
10. _____ Oper (f.).

Sie kommt gerade …

aus der Bäckerei.
_____ Büro.
_____ Kirchplatz.
_____ Fichtelgebirge.
_____ Bank.
_____ Supermarkt.
_____ See.
_____ Kanarischen Inseln.
_____ Blumenstraße.
_____ Oper.

2 Mettez les phrases de l'exercice 1 au prétérit.

Wo war sie?

1. *Sie war in der Bäckerei.*
…

3 Datif (wo?) ou accusatif (wohin?):
Complétez avec *in, an, auf* et l'article.

1. ■ Kommst du mit mir heute _____ Stadion (n.) zum Fußballspiel?
   ● Tut mir Leid, aber ich habe keine Zeit. Ich fahre mit meiner Familie _____ See (m.) zum Baden.
2. ■ Wo haben Sie denn diesen tollen Hut gekauft?
   ● _____ Kaufhaus (n.) _____ Marktplatz (m.).
3. ■ Ich muss noch Geld wechseln. Wo kann ich das machen?
   ● _____ Bank (f.).
4. ■ Wir möchten im Sommer _____ Seychellen (Pl.) fliegen. Wissen Sie, wie teuer ein Flug dorthin ist?
   ● Nein, leider nicht. Aber gehen Sie doch _____ Reisebüro (n.) nebenan und fragen Sie dort.
5. ■ Kinder, warum geht ihr denn bei diesem schönen Wetter nicht _____ Park (m.), sondern sitzt den ganzen Tag hier _____ Zimmer (n.)?
   ● Wir waren heute Vormittag schon _____ Park (m.), und jetzt wollen wir hier _____ Wohnung (f.) bleiben und fernsehen.

4 *in* (+ acc.) ou *nach*: complétez avec la préposition et l'article.

Sie fährt …

1. _____ Schweiz.
2. _____ London.
3. _____ Türkei.
4. _____ Kalifornien.
5. _____ Asien.
6. _____ Alpen.
7. _____ Holland.
8. _____ USA.

5 *von* ou *aus* (woher?): complétez avec la préposition et l'article.

1. ■ Hallo Ingrid, was machst denn du hier?
   ● Ich komme gerade _____ Büro und bin auf dem Weg nach Hause.
2. ■ Woher wissen Sie das?
   ● _____ Herrn Steffen.
3. ■ Woher kommst du jetzt?
   ● _____ Arzt.
4. ■ Wann kommt denn Ihre Frau _____ Krankenhaus?
   ● Nächste Woche.

6 Complétez les phrases en utilisant les noms ci-dessous et les prépositions *in*, *auf* ou *zu*. Deux solutions sont parfois possibles.

Notez la différence:

in et *zu* pour les bâtiments / magasins:
zu   l'accent sur le lieu, la destination; je n'y reste que peu de temps:
Ich gehe jetzt *zur* Bäckerei.
in   séjour dans un endroit; j'y reste plus longtemps:
Ich gehe heute *ins* Theater.

zu et *auf* pour la poste et la banque:
zu   possible dans tous les cas:
Ich gehe *zur* Bank / Post / Bäckerei.
auf possible uniquement avec la poste et la banque:
Ich gehe *auf die* Post / Bank.

Avec les noms de places, toujours *zu*:
Ich gehe *zum* Marktplatz.

Règles approximatives:
On peut employer *zu* pour tous les bâtiments à condition de ne pas y séjourner longtemps.

■ Reisebüro (n.)   Apotheke (f.)
■ Flughafen (m.)   Kino (n.)
■ Metzgerei (f.)   Restaurant (n.)
■ Buchhandlung (f.)   Bank (f.)

1. Er möchte Fleisch kaufen.
   Er geht _____.
2. Sie möchte sich einen Film ansehen.
   Sie geht _____
3. Wir müssen Tabletten kaufen.
   Wir gehen _____.
4. Sie wollen eine Reise buchen.
   Sie gehen _____.
5. Ich muss nach Berlin fliegen.
   Ich fahre _____.
6. Sie wollen mit Freunden essen gehen.
   Sie gehen _____.
7. Er will ein Buch kaufen.
   Er geht _____.
8. Sie will Geld wechseln.
   Sie geht _____.

7 Transposez les phrases de l'exercice 6 au prétérit.

1. *Er war …*

…

8 *bei* (wo?) ou *zu* (wohin?): complétez avec la préposition et l'article.

1. ■ Was haben Sie denn am Wochenende gemacht?
   ● Am Wochenende war ich _____ meiner Freundin in Dresden.
2. ■ Wohin gehst du?
   ● _____ Nachbarin.
3. ■ Wo waren Sie denn? Ich habe Sie überall gesucht!
   ● Ich war nur kurz _____ meinem Kollegen im Nebenzimmer.
4. ■ Du wolltest doch heute noch _____ Frisör gehen.
   ● Eigentlich schon, aber ich habe leider keinen Termin mehr bekommen.

9 Complétez avec la préposition et l'article.

1. Nächste Woche möchte ich _____ meiner Oma _____ Schweiz fahren. Meine Großeltern haben früher _____ Süddeutschland gewohnt, aber seit ein paar Jahren wohnen sie nun _____ Schweiz. Dort haben sie sich ein Haus _____ einem kleinen See _____ Bergen gekauft.

2. In München war ich _____ Olympiaturm, _____ Olympia-stadion, _____ Deutschen Museum, _____ Englischen Garten, _____ Isar (f.), _____ meiner Tante, _____ Leopold-straße _____ Schwabing, _____ Marienplatz und _____ Biergarten _____ Kleinhesseloher See.

10 Datif ou accusatif: Formez des phrases sans oublier de décliner l'article.

1. tragen – bitte – der Keller – in – das Bier – Sie
   Tragen Sie bitte das Bier in den Keller.
2. der Mantel – die Garderobe – hängen – an – er
3. der Schrank – stehen – in – die Weingläser
4. auf – der Atlas – die Kommode – liegen
5. hängen – über – du – warum – die Lampe – der Fernseher?
6. die Zeitung – er – unter – legen – das Sofa – immer
7. dein Fahrrad – vor – stehen – die Haustür
8. räumen – die Spülmaschine – das Geschirr – er – nie – in

11 Faites des dialogues en utilisant les prépositions ci-dessous et les verbes
liegen / legen, stellen / stehen, hängen.

| | in | an | unter | ~~auf~~ |
| zwischen | in | neben | an | |

1. Sweatshirt (n.) – Bett (n.)
   - ■ *Mama, wo ist denn mein Sweatshirt?*
   - ● *Ich habe es auf dein Bett gelegt.*
   - ■ *Es liegt aber nicht mehr auf dem Bett!*
   - ● *Dann weiß ich auch nicht, wo es ist.*
2. Jacke (f.) – Garderobe (f.)
3. Fußball (m.) – Keller (m.)
4. Schere (f.) – Schublade (f.)
5. Schlüssel (Pl.) – Schlüssel-brett (n.)
6. Schuhe (Pl.) – Bank (f.)
7. Tasche (f.) – Regal (n.) und Schrank (m.)
8. Taschenlampe (f.) – Lexikon (n.)

12 Faites les questions et les réponses.

Das ist Dominiks unordentliches Zimmer.
Wo liegen / stehen / hängen seine Sachen?

*Wo liegt die Armbanduhr? – Sie liegt
unter dem Tisch neben dem Bett.
Wo ...*

13 Faites les questions et les réponses, comme dans l'exercice 12.

Wohin hat Dominik seine Sachen
gelegt / gestellt / gehängt?

*Wohin hat er die Armbanduhr gelegt? –
Er hat sie unter den Tisch neben seinem
Bett gelegt. ...*

14 Complétez avec la préposition et l'article. Dessinez le tableau.

1. _____ dies___ Bild sieht man im Vordergrund einen See.
2. _____ See ist ein kleines Boot.
3. _____ Boot sitzen ein Mann und ein Kind.
4. _____ See herum geht eine Familie mit einem Hund spazieren.
5. _____ See liegt ein Dorf.
6. _____ Mitte des Dorfes gibt es eine Kirche. Links _____ Kirche steht das Rathaus. _____ Rathaus ist ein Restaurant.
7. _____ des Dorfes gibt es einen Fußballplatz.
8. _____ See _____ gibt es eine kleine Straße.
9. _____ dies___ Straße gab es einen Unfall: ein Fahrradfahrer ist _____ einen Baum gefahren.
10. Rechts _____ Dorf ist ein kleiner Berg. ____ Berg steht eine alte Burg.

15 Où M. et Mme Berger ont-ils passé leurs vacances? Formez des phrases.

1. Hotel – Kreta
In einem Hotel auf Kreta.
2. Pension – Berlin
3. Freunden – Japan
4. Schiff – Mittelmeer (n.)
5. Stadt – Rhein (m.)
6. Insel – Indischer Ozean (m.)
7. Bungalow – Südküste von Spanien
8. Haus – Alpen (Pl.)

16 Complétez avec la préposition et l'article.

1. Heute Abend bleibe ich _____ Hause.
2. Gestern habe ich _____ Bank meinen Lehrer getroffen.
3. Wir wohnen _____ einem kleinen Haus _____ Stadtrand von Schwerin.
4. Heute Morgen lag sogar Schnee _____ Bergen. Und das im Mai!
5. Frankfurt liegt _____ Main (m.).
6. Andreas ist schon _____ Hause gegangen.
7. Die meisten Deutschen fahren im Urlaub _____ südliche Länder.
8. Die alte Frau ging _____ Park und setzte sich _____ eine Bank.
9. _____ dieser Firma möchte ich nicht mehr arbeiten.
10. Warum könnt ihr nicht länger _____ uns bleiben?
11. Wohin fahren Sie am liebsten in Urlaub? _____ Meer oder _____ Berge?
12. Wenn wir noch nicht _____ Hause sein sollten, dann gehen Sie einfach _____ Haus herum und setzen sich _____ Terrasse.

17 Complétez la lettre ci-dessous en utilisant les prépositions ci-contre et l'article.

in (8x)	aus	zwischen
nach (3x)	zu	an (3x)
um	neben	entlang
gegenüber	hinter	über

Liebe Großeltern,

wie geht es euch? Seid ihr gesund? Wann kommt ihr mich endlich mal besuchen?
Seit einer Woche bin ich nun _____ wunderschönen Stadt Freiburg _____
Breisgau*. _____ meinem Studentenheim habe ich schon ein paar nette Leute
kennengelernt. _____ Zimmer _____ mir wohnt zum Beispiel eine
Studentin _____ Schweden, mit der ich viel Zeit verbringe, und _____
Zimmer _____ wohnt eine deutsche Studentin, die mich schon einmal
_____ ihren Eltern eingeladen hat. Hier _____ Freiburg gibt es auch viele
gemütliche Kneipen und kleine Bistros, Kinos, Theater etc. Es wird mir nie langweilig.

Aber auch die Gegend _____ Stadt herum ist sehr, sehr schön. Freiburg liegt
_____ westlichen Rand des Schwarzwaldes _____ Südwesten von
Deutschland. Wenn man den Rhein _____ _____ Süden fährt, kommt man
nach ca. 80 km _____ Schweizer Grenze. Gleich _____ der Grenze liegt
die Stadt Basel. Das ist eine sehr interessante Stadt.

Wenn man von Freiburg aus _____ Westen _____ Rhein fährt (der Rhein
ist die Grenze _____ Deutschland und Frankreich), kommt man _____
Colmar.

Nächste Woche habe ich meine Sprachprüfung _____ Universität. Deshalb
muss ich jetzt viel lernen und jeden Tag _____ Mediothek gehen, um noch
mehr zu üben.

Ich schreibe euch bald wieder und grüße euch ganz herzlich

Elke

---

* Région autour de Fribourg

18 *in, –, vor* (= moment précis), *seit* (= durée):
complétez avec la préposition et l'article.

1. ■ Wo ist denn Ihr Sohn? Ich habe ihn schon lange nicht mehr gesehen.
   ● Er lebt _____ einem Jahr in Brasilien.
2. ■ Wo ist denn Anja?
   ● Sie ist _____ einer halben Stunde weggegangen.
   ■ Und wann kommt sie wieder zurück?
   ● Ich weiß es nicht genau, aber spätestens _____ einer Stunde.
3. ■ _____ wann arbeiten Sie in Leipzig?
   ● Schon _____ zwei Jahren.
4. ■ Wann sind Sie geboren?
   ● _____ 1968.

5. ■ Warte zu Hause. Ich hole dich _____ zehn Minuten ab.
   ● Das ist sehr nett von dir.
6. ■ Wann haben Sie geheiratet?
   ● _____ 1988. Also schon _____ vielen Jahren.
7. ■ Wie lange lernen Sie schon Deutsch?
   ● _____ einem halben Jahr. Ich habe _____ September mit dem Sprachkurs begonnen.
8. ■ Wie lange müssen wir denn noch laufen? Wir sind nun schon _____ einer Stunde unterwegs!
   ● Nicht mehr lange. Wir sind spätestens _____ einer halben Stunde da.

19 *an* ou *in*: complétez avec la préposition et l'article.

Wir kommen …

1. _____ zehn Tagen.
2. _____ Ostern.
3. _____ Sommer.
4. _____ April.
5. _____ Nachmittag.
6. _____ Nacht.
7. _____ 31.3.
8. _____ Sonntagabend.

20 *in* ou *nach*: complétez avec la préposition et l'article.

1. Es war eine große Operation. Aber _____ einigen Tagen ist er schon aufgestanden.
2. Ich gehe schnell zur Apotheke. _____ spätestens zehn Minuten bin ich wieder da.
3. _____ zwei Monaten habe ich mein Examen.
4. _____ dem Examen mache ich erst einmal Urlaub.
5. Unser neuer Angestellter hat schon _____ einem Monat die Firma wieder verlassen.
6. Gehen wir _____ dem Konzert noch ein Glas Wein trinken?

21 *um* ou *gegen*: complétez avec la préposition et l'article.

1. Der Zug ist _____ 23.44 Uhr angekommen.
2. Ich besuche dich morgen _____ Abend. Ist dir das recht?
3. Pablo Picasso hat das Bild „Guernica" so (=ungefähr) _____ 1935 gemalt.
4. Der Direktor kommt so _____ (= ungefähr) 13 Uhr zurück.
5. Wir fahren mit dem Auto und werden so _____ Mittag bei euch sein.
6. Die Konferenz beginnt _____ 16.00 Uhr.

23 Entourez la préposition qui convient.

1. Wie lange wohnen Sie schon in Lübeck?
   Vor – Seit – Während einem Jahr.
2. Wann kommen Sie vom Urlaub zurück?
   In – Nach – Bis drei Wochen.
3. Wann ist das Geschäft geschlossen?
   Zwischen – Während – Ab Weihnachten und Neujahr.
4. Wann hast du dir denn in den Finger geschnitten?
   Am – Um – Beim Kochen.
5. Wann ist denn Ihre Sekretärin in Urlaub?
   Von nächster Woche an. – Aus nächster Woche. – Nach nächster Woche.
6. Wie lange waren Sie denn in Berlin?
   Seit zwei Wochen. – Gegen zwei Wochen. – Zwei Wochen lang.

22 Complétez les phrases.

1. ■ Gehen wir heute Abend ins Kino oder nicht?
   ● Ja, natürlich, ich habe die Eintrittskarten schon reserviert. Wann treffen wir uns?
2. ■ So _____ halb acht. Ist dir das recht?
   ● Wann beginnt denn der Film?
3. ■ _____ 20.30 Uhr. Ich dachte, dass wir uns ein bisschen früher treffen und _____ dem Film noch etwas trinken gehen könnten.
   ● Das können wir machen. Oder wir gehen _____ dem Film in das neue Bistro, das ich dir schon _____ langem zeigen will.
4. ■ Machen wir doch beides! Ich hole dich _____ einer Stunde mit dem Auto ab.
   ● Das ist aber nett von dir. Also, ich warte _____ 19 Uhr unten vor dem Haus auf dich. Dann brauchst du nicht extra einen Parkplatz zu suchen.
5. ■ Gut, ich bin dann _____ 19 Uhr und 19.15 Uhr bei dir. _____ später!

24 Complétez les phrases.

Hans möchte mit Petra ausgehen.
Aber Petra scheint nie Zeit zu haben.

1. ■ Also, Petra, wie wäre es _____ Freitag? Hast du da Zeit?
   ● Das ist ein bisschen schwierig. _____ Nachmittag möchte ich meine Tante besuchen, die schon _____ einer Woche im Krankenhaus liegt. Ja, und _____ Abend gehe ich zum Sport, und _____ dem Sport bin ich sicher zu müde. _____ Wochenende fahre ich dann zu meinen Eltern.
2. ■ Schade. Wie sieht es denn bei dir _____ der nächsten Woche aus?
   ● _____ Montag _____ Mittwoch muss ich für meine Firma nach Düsseldorf. _____ Donnerstag bin ich dann wieder hier. Wir könnten uns doch gleich _____ Donnerstagabend treffen?
3. ■ Das ist leider der einzige Abend _____ der nächsten Woche, an dem ich keine Zeit habe. Vielleicht _____ Freitag?
   ● Ja, aber da kann ich nur _____ 22 Uhr, weil ich _____ 22.30 Uhr ins Kino gehen und „Casablanca" sehen möchte. Darauf freue ich mich schon _____ langem! Geh doch einfach mit!
4. ■ Ja, gern, also dann _____ Freitag! Ich hole dich so _____ 20 Uhr zu Hause ab.
   ● Vielen Dank!

25 Complétez les phrases.

1. _____ meinem letzten Besuch hattest du dieses neue Sofa aber noch nicht.
2. Thomas arbeitet wirklich sehr diszipliniert. Er hat _____ vier Jahren sein Studium beendet.
3. Dieser Kurs dauert _____ Januar _____ März.
4. Sie ist schon _____ einer Woche angekommen und bleibt noch _____ nächsten Sonntag.
5. Wir bleiben _____ drei Monate in den USA.
6. Ich habe _____ 1985 das Abitur gemacht.
7. Frau Biller hat _____ einer Stunde angerufen.
8. Es ist unhöflich, _____ des Essens Zeitung zu lesen.
9. Kannst du mir dieses Buch _____ Montag leihen?
10. Wir fahren _____ die Feiertage ans Meer.
11. _____ 1. März arbeite ich bei der Firma Jäger.
12. Er hat gleich _____ dem Abitur seinen Führerschein gemacht.

26 La manière: complétez avec la préposition et l'article.

1. Am Freitag fahre ich nur mit meinem Mann, _____ die Kinder, übers Wochenende nach Wien. Endlich sind wir mal wieder nur zu zweit!
2. Diese Bluse ist _____ indischer Seide.
3. Meinen Informationen _____ beginnt die Veranstaltung erst um 19 Uhr.
4. Wenn Sie nach Köln kommen, müssen Sie mich _____ jeden Fall besuchen!
5. Seit ein paar Jahren kann ich leider nur noch _____ Brille lesen.
6. Wir haben dieses Problem _____ allen Einzelheiten besprochen.
7. Meiner Meinung _____ gibt es an dieser Stelle einen Fehler in der Übersetzung.
8. Sie haben die Aufgaben leider nur _____ Teil richtig gelöst.
9. Wir heizen unsere Wohnung _____ Gas.
10. _____ Fremdsprachen-kenntnisse findest du heutzutage keinen guten Job als Sekretärin.
11. Könnten Sie mir bitte diesen Text _____ Englisch übersetzen?
12. Wir hätten gern ein Zimmer _____ Blick aufs Meer.
13. _____ Gegensatz zu mir hat er sehr schnell Ski fahren gelernt.
14. _____ Glück habe ich endlich eine Wohnung gefunden.

27 La cause: complétez avec la préposition et l'article.

1. _____ einer technischen Störung in der U-Bahn sind wir leider viel zu spät gekommen.
2. _____ Angst vor einer Strafe hat er nicht die Wahrheit gesagt.
3. _____ dieser Kälte muss man ja krank werden!
4. Es tut uns Leid, aber _____ eines Fehlers in unserem Telefonsystem können wir heute keine Gespräche vermitteln.
5. Am Tag ihrer Hochzeit strahlte die Braut _____ Glück.
6. Ich mache das nur _____ Liebe zu dir.
7. _____ des starken Nebels sind gestern Abend viele Flüge ausgefallen.
8. _____ dieser Hitze müssen Sie viel trinken.
9. Er weinte _____ Glück, als sein erstes Kind geboren war.
10. _____ einer starken Grippe konnte sie leider nicht kommen.

3.2 Les Mots invariables
L'adverbe

Les adverbes ont les propriétés suivantes:

- Ils ne se déclinent pas, sont donc invariables.
  (Les exceptions seront abordées dans le cours de perfectionnement).
- Ils se rapportent au verbe (Ich komme *morgen.*)
  ou à l'adjectif. (Das war eine *sehr* schöne Party.)
- Ils apportent la plupart du temps une information dans la
  phrase. Ils occupent donc le champ central.

▶ *te-ca-ma-li*
pages 198–199

Comme les prépositions et les conjonctions, on peut
classer les adverbes en groupes, en fonction de leur sens.

▶ Prépositions
pages 160–172
▶ *Conjonctions*
pages 210–217

- Adverbes de lieu
- Adverbes de temps
- Adverbes de manière
- Adverbes de cause, de concession, de conséquence

Les adverbes de lieu

Répondent à la question **wohin (direction – lieu où l'on va)**

abwärts – aufwärts	Von dort führt der Weg *abwärts* ins Tal.
vorwärts – rückwärts	Passen Sie auf, wenn Sie *rückwärts* fahren!
her – hin	Wo kommst denn du *her*, Toni, du bist ja ganz schmutzig! Wo gehst du *hin*?
(hier)her – dorthin*	Komm bitte *hierher*! Geh bitte *dorthin*!
heraus – hinaus → raus**	Kinder, kommt/geht doch *raus*. Das Wetter ist so schön!
herein – hinein → rein**	Kinder, kommt/geht bitte *rein*. Das Essen ist fertig.
herauf – hinauf → rauf**	Kinder, kommt/geht bitte *rauf*. Ihr müsst ins Bett.

herunter – hinunter → runter**	Kinder, kommt/geht bitte von der Mauer *runter*!
herüber – hinüber → rüber**	Kinder, geht mal bitte zur Nachbarin *rüber* und bittet sie um etwas Zucker. Wir haben keinen mehr.
nach links/rechts	Gehen Sie bitte *nach links/rechts*.
nach oben/unten	Gehen Sie bitte *nach oben/unten*.
nach vorn/hinten	Gehen Sie bitte *nach vorn/hinten*.
nach draußen/drinnen	Gehen Sie bitte *nach draußen/drinnen*.
irgendwohin – nirgendwohin	Ich fahre am Wochenende *irgendwohin* in die Natur. Ich weiß aber noch nicht genau wohin.
überallhin	Mit dir fahre ich *überallhin*.

* *(hier)her* + kommen → d'où? / *(dort)hin* + gehen, fahren … → où? (avec déplacement)
** Dans la langue écrite, on utilise encore généralement les formes *heraus/hinaus* …
   On applique ici la règle de *hierher/dorthin*, c'est-à-dire que la place de la personne qui parle par rapport à celle qui écoute est importante.
   Dans la langue courante, on emploie généralement la forme raccourcie *raus* …, qui remplace à la fois *heraus* et *hinaus*.

Répondent à la question **wo?** (lieu où l'on est)

links – rechts	Wo ist denn meine Brille? – Dort *links* auf dem Tisch.
oben – unten	Ich bin *oben*. Komm doch auch rauf!
vorn – hinten	Bitte im Bus nur *vorn* einsteigen!
draußen – drinnen	Kommt doch rein. Es ist schon so kalt *draußen*.
irgendwo – nirgendwo (= nirgends)	Wo ist denn meine Brille? Sie muss *irgendwo* hier sein. – Ich habe sie leider *nirgends* gesehen.
hier – da/dort	Das Haus *da/dort/hier* meine ich. Das gefällt mir.
drüben	Mir gefällt das Haus dort *drüben*.
mitten	Musst du immer *mitten* auf dem Sofa sitzen?
überall	Gestern hat es *überall* in Deutschland geregnet.

Répondent à la question **woher? (provenance)**

von links – rechts	Wir kommen *von links / rechts.*
von oben – unten	Wir kommen *von oben / unten.*
von vorn – hinten	Wir kommen *von vorn / hinten.*
von draußen – drinnen	Wir kommen *von draußen / drinnen.*
von irgendwoher – nirgendwoher	Woher kommt er? – Ich weiß es nicht, *von irgendwoher* aus Europa.
von überallher	Zu der Hochzeit des Prinzen kamen die Gäste *von überallher* angereist.

Indiquent le **but, la destination**

fort – weg	Geh bitte nicht *fort / weg* von mir!
irgendwohin – nirgendwohin	Wohin gehst du? – Ich gehe *nirgendwohin.* Ich ziehe mir nur eine Jacke an, weil mir kalt ist.

Notez la différence:

Woher kommen Sie?		**Wo sind Sie?**		**Wohin gehen Sie?**	
Ich komme	von oben	Ich bin	oben	Ich gehe	nach oben
	von drinnen		drinnen		nach drinnen
	von links		links		nach links
	von …		…		nach …
	von überallher		überall		überallhin
	von n/irgendwoher		n/irgendwo		n/irgendwohin

Les adverbes de temps

	Passé	Présent	Futur
Répondent à la question **wann?** (**moment précis**)	(vor)gestern vorhin vorher früher (ein)mal neulich damals	heute jetzt, nun gerade sofort, gleich bisher	(über)morgen bald nachher hinterher (ein)mal später

Passé

(vor)gestern	Wir sind *gestern* Abend angekommen.
vorhin	Nein danke, ich habe jetzt keinen Hunger. Ich habe *vorhin* erst etwas gegessen.
vorher	Ich komme nach der Arbeit zu dir. Aber *vorher* muss ich noch kurz nach Hause.
früher	„*Früher* war alles besser", sagt meine Großmutter.
(ein)mal	Dies war *(ein)mal* ein gutes Restaurant. Heute ist es leider nicht mehr so gut.
neulich	Hast du Maria mal wieder gesehen? – Ja, wir haben uns *neulich* getroffen.
damals	Vor 15 Jahren war ich schon einmal an diesem See. *Damals* gab es hier noch keine so großen Hotels.

Présent

heute	Was machst du *heute* Abend?
jetzt – nun	Das war der letzte Bus. Was machen wir *nun*?
gerade	Was machst du *gerade*? – Ich esse.
sofort – gleich	Warten Sie bitte. Ich komme *gleich*.
bisher	*Bisher* hatte ich keine Probleme mit dem Chef.

Futur

(über)morgen	Heute habe ich leider keine Zeit, aber *morgen* oder *übermorgen* kann ich Ihnen gern helfen.
bald	Hoffentlich ist dieser Regen *bald* vorbei!
nachher	Ich möchte jetzt zum Mittagessen gehen. Kann ich den Brief auch *nachher* schreiben?
hinterher	*Hinterher* wissen wir immer alles besser.
(ein)mal	Kommst du mich *(ein)mal* in München besuchen?
später	Karl hat angerufen. Er kommt heute Abend ein bisschen *später*.

Degré de fréquence

100 %								0 %
jedesmal	fast immer	meistens	oft	öfters	manchmal	selten	fast nie	niemals
immer			häufig		ab und zu			nie

immer	Sie ist *immer* fröhlich.
jedesmal	Wenn ich in Paris bin, gehe ich *jedesmal* ins Centre Pompidou.
meistens*	Am Morgen trinke ich *meistens* Kaffee.
oft – häufig	Ihr streitet euch aber *oft*!
öfters	Das ist ein gutes Geschäft. Wir haben schon *öfters* hier eingekauft.
manchmal – ab und zu	Besuchst du deine Eltern oft? – Nein, nur *ab und zu* am Sonntag.
selten	Ich war *selten* so glücklich wie an diesem Tag!
nie – niemals	Ich war noch *nie* in China.

* Notez la différence:
meistens (= très souvent)   Am Morgen trinke ich *meistens* Kaffee.
am meisten (= superlatif de *viel*)   Peter verdient von uns allen *am meisten*.

Succession de repères dans le temps

zuerst	Am Sonntag haben wir *zuerst* geduscht.
dann	*Dann* haben wir gemütlich gefrühstückt.
danach	*Danach* haben wir eine Wanderung um den See gemacht.
schließlich	*Schließlich* waren wir zu müde zum Kochen und sind essen gegangen.
zuletzt	*Zuletzt* haben wir noch einen Espresso in einer kleinen Bar getrunken und sind ins Bett gegangen.

▶ Autres *adverbes de temps* (*montags, abends …*) page 133

Les adverbes de manière

anders	Ich hätte *anders* reagiert.
beinahe – fast	Mein Gott, *beinahe* wäre mir die Schüssel runtergefallen!
besonders	Dieses Hotel hat uns *besonders* gut gefallen.
bestimmt	Er wollte dir *bestimmt* nicht weh tun!
etwas	Ich habe mittags *etwas* geschlafen.
ebenso wie – genauso wie	Sie kocht *genauso* gut *wie* ihre Mutter.
gar nicht – überhaupt nicht	Ich weiß *überhaupt nicht*, wie ich das alles schaffen soll.
gern	Vielen Dank für die Einladung. Wir kommen sehr *gern*.
höchstens	Leider können wir *höchstens* drei Tage hier bleiben.
irgendwie	Vielleicht werde ich krank. Ich fühle mich heute *irgendwie* nicht wohl.
kaum	Letzte Nacht habe ich *kaum* geschlafen, weil ich so starke Zahnschmerzen hatte.

leider	Er weiß es *leider* auch nicht.
mindestens	Jetzt geht es mir gut. Ich habe letzte Nacht *mindestens* zehn Stunden geschlafen.
sehr	Das Essen war wirklich *sehr* gut!
so	Schau her und mach es *so* wie ich.
umsonst	Wir sind *umsonst* zum Bahnhof gefahren. Sie ist nicht gekommen.
wenigstens	Du könntest *wenigstens* beim Geschirrspülen helfen, wenn du schon sonst nichts machst.
ziemlich	Es ist *ziemlich* kalt geworden.

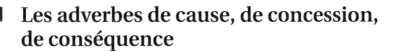

Les adverbes de cause, de concession, de conséquence

La cause

deshalb – deswegen – daher – darum	In zehn Minuten fährt der Zug. *Deshalb* sollten wir uns beeilen!
nämlich *(après le verbe!)*	Ich muss das heute noch fertigmachen, ab morgen bin ich *nämlich* in Urlaub.

La concession

trotzdem – dennoch	Ich habe es verboten. Er hat es *trotzdem* getan.

La conséquence

also	Sein Auto steht vor der Tür. Er ist *also* zu Hause.

▶ Exercices 1–7

3 Les mots invariables

1 *hierher, dorthin, her, hin, rauf, runter, raus, rein, rüber*:
complétez les phrases.

Ces adverbes (*her, hin, rauf, runter, raus, rein, rüber*) peuvent être employés seuls ou en liaison avec des verbes de déplacement (*kommen, gehen* …):

Sie müssen diese Treppe hinaufgehen/raufgehen.
Können Sie bitte mal herkommen?

1. ■ Was machen Sie denn da oben?
   ● Von hier hat man einen wunderschönen Ausblick. Ich möchte ein paar Fotos machen. Kommen Sie doch auch _____ ! Es lohnt sich wirklich.

2. ■ Kommen Sie nur _____ . Die Tür ist offen.
   ● Danke.
   ■ Setzen Sie sich doch bitte _____ . Ich komme auch gleich.

3. ■ Kommt doch mal _____ auf die Terrasse, ich muss euch etwas zeigen.
   ● Was ist denn los?

4. ■ Du, wir sind gerade im „Tivoli", komm doch auch _____ .
   ● Nein danke, ich habe heute keine Lust mehr auszugehen.

5. ■ Möchten Sie nicht auf ein Glas Wein zu uns _____kommen? Dann können wir auf eine gute Nachbarschaft trinken.
   ● Ja gern, das ist sehr nett von Ihnen.

6. ■ Mama, wo bist du?
   ● Ich bin hier unten im Keller.
   ■ Komm mal bitte _____ . Ich muss dich was fragen.
   ● Ich kann jetzt nicht. Komm du doch _____ .

7. ■ Thomas ist draußen. Geh doch auch _____ und spiel mit ihm.
   ● Wenn er mit mir spielen will, kann er auch _____kommen.

8. ■ Herr Dr. Schneider, könnten Sie bitte einen Moment _____kommen?
   ● Natürlich, was gibt es?

9. ■ Kommt doch auch _____ und setzt euch zu uns!
   ● Danke schön.

10. ■ Gehen Sie bitte _____ . Das Sekretariat ist im 1. Stock.
    ● Wir waren gerade oben. Es ist aber niemand da.

190

2 Quel est le contraire de:

1. hinaus (raus) _____
2. irgendwo _____
3. hier _____
4. links _____
5. von vorn _____
6. nach draußen _____
7. nirgendwohin _____
8. hinunter (runter) _____
9. abwärts _____
10. rückwärts _____

3 Complétez par l'adverbe qui convient.

1. Haben Sie schon unsere Dachterrasse gesehen?
   Kommen Sie bitte mit mir _nach oben_ .　　　oben / aufwärts / nach oben

2. Wir sind schon fast _____ gereist, nur　　überallhin / irgendwohin /
   nicht nach Südostasien.　　　　　　　　　　überall

3. Mein Vater ist draußen im Garten.
   Gehen Sie bitte _____ zu ihm.　　　　weg / rüber / hinaus

4. Morgen fahren wir auf den Olympiaturm.
   _____ dort _____ hat man　　　von … oben / nach … oben
   einen herrlichen Blick über München und
   bis zu den Alpen.

5. Ich habe mein neues Fahrrad immer
   _____ im Keller. Dort steht es　　　　runter / nach unten / unten
   sicherer als im Hof.

6. Bitte schau _____ , wenn du Auto　　　vorwärts / hierher / nach vorn
   fährst, und dreh dich nicht immer zu den
   Kindern um.

7. Hier gefällt es mir so gut, dass ich gar nicht
   mehr _____ möchte.　　　　　　　irgendwohin / fort / überallhin

8. Kommen Sie bitte _____ .　　　　　hierher / rechts / dorthin

4 Complétez les phrases. Il y a parfois plusieurs possibilités.

1. ■ Claudia, wo bleibst du denn? Wir warten alle auf dich!
   ● Keine Panik! Ich komme _sofort/gleich._

2. ■ Hast du schon deine Hausaufgaben gemacht?
   ● Nein, die mache ich _____ .

3. ■ Wo ist denn mein Geldbeutel?
   ● Ich weiß es nicht, aber _____ lag er noch hier auf dem Tisch.

4. ■ Oma, wo warst du denn auf Hochzeitsreise?
   ● Ach Kind, _____ gab es so etwas noch nicht. Wir hatten kein Geld für Reisen.

5. ■ Warum hast du mich denn nicht _____ gefragt? Ich hätte dir gern geholfen.
   ● Ja, das war dumm von mir. Aber _____ ist man immer schlauer.

6. ■ Wie gefällt dir denn dein neuer Job?
   ● _____ macht mir die Arbeit sehr viel Spaß. Ich hoffe, es bleibt so.

7. ■ Jetzt machen wir erst mal eine Pause. Wir können _____ weitermachen.
   ● Gute Idee!

8. ■ Wo ist denn Frau Kirchner?
   ● Ich weiß es nicht. Sie war doch _____ noch hier.

5 Répondez aux questions.

1. Wie häufig gehen Sie in die Oper?
   _Nie._____

2. Wie oft bringen Sie Ihrer Freundin/Frau Blumen mit?
   _____

3. Wie oft sind Sie unpünktlich?
   _____

4. Wie häufig sagen Sie nicht die Wahrheit?
   _____

5. Wie oft essen Sie Fleisch pro Woche?
   _____

6. Wie oft sind Sie in Ihrem Leben schon umgezogen?
   _____

7. Wie häufig treiben Sie Sport?
   _____

8. Wie oft essen Sie im Restaurant?
   _____

9. Wie oft frühstücken Sie im Bett?
   _____

10. Wie häufig sehen Sie fern?
    _____

6 Complétez les phrases par les adverbes ci-dessous.

■ fast	bestimmt	wenigstens	~~sehr~~	■
■ kaum	genauso	irgendwie	umsonst	■
■ sehr	höchstens	ziemlich	fast	■

1. Gute Nacht, ich gehe jetzt ins Bett, ich bin _sehr_____ müde.
2. Warum hast du nicht _____ angerufen, wenn du so spät kommst?
3. Sie ist _____ hübsch wie ihre Mutter!
4. Leider haben wir den Auftrag nicht bekommen. So war unsere ganze Arbeit
   _____ .
5. Sie können sich auf mich verlassen. Was ich verspreche, mache ich auch ganz
   _____ .
6. Er hat so leise gesprochen, dass ich _____ etwas verstanden habe.
7. Ich habe im Moment auch keine Idee, aber _____ müssen wir dieses
   Problem lösen.
8. Meine Großmutter ist sehr krank. Sie isst _____ nichts mehr und hat
   _____ viel abgenommen. Jetzt wiegt sie _____ noch 54 kg.
9. Ich muss jetzt unbedingt etwas essen. Ich habe heute den ganzen Tag noch
   _____ nichts gegessen.
10. Ich bin sehr müde, denn die Bergtour war _____ anstrengend.

7 Complétez par des adverbes de cause, de concession ou de conséquence.

1. Meine Kollegin ist sehr erkältet. _____ kommt sie ins Büro.

2. Ich habe den Bus verpasst. _____ bin ich leider zu spät gekommen.

3. Ich habe nichts bestellt, _____ muss ich auch nichts zahlen.

4. Morgen muss ich früh aufstehen, _____ gehe ich jetzt schlafen.

5. Es gibt zu wenig Schnee, _____ können wir am Wochenende nicht
   Ski fahren.

6. Er lernt erst seit zwei Monaten Französisch. _____ spricht er schon
   ziemlich gut.

▶ Autres exercices sur *les adverbes de cause, de concession ou de conséquence*,
   page 208

4.1 La Phrase
La valence du verbe

Une phrase est composée de divers éléments – sujet, verbe, compléments d'objet, différentes données informatives etc. – qui suivent un ordre précis. Cet ordre est déterminé, en allemand, par le verbe.

Le verbe est l'élément le plus important de la phrase. C'est lui qui détermine le nombre d'éléments obligatoirement présents dans la phrase (sujet/objets) et leur cas. C'est ce que l'on appelle la **valence du verbe.**

Rappel: les **éléments constituants** sont des éléments de phrase obligatoires (sujet/objets) qui dépendent du verbe. Les **données informatives** sont des éléments de phrase indépendants du verbe et facultatifs (indications de temps, de lieu...).

Nominatif + verbe

Certains verbes n'ont besoin que d'un élément au nominatif (= sujet) pour former une phrase complète.

Ich	schlafe.
Das Kind	spielt.
Es	regnet.
...	

Nominatif + verbe + accusatif

Outre le sujet (= nominatif), la plupart des verbes en allemand nécessitent un complément d'objet (= accusatif ou datif). Si le verbe n'exige qu'un seul complément pour former une phrase complète, celui-ci est généralement à l'accusatif.

Das Kind	malt	ein Bild.
Ich	schreibe	ein Buch.
Ich	bestelle	ein Mineralwasser.
...		

Nominatif + verbe + datif

Certains verbes, peu nombreux, n'exigent qu'un complément au datif (= complément d'objet au datif). Il faut les apprendre par cœur. Il s'agit souvent de verbes exprimant une relation personnelle.

Ich	helfe	dir.
Euer Haus	gefällt	mir.
Diese Jacke	gehört	meiner Freundin.
...		

De même: antworten, begegnen, danken, fehlen, folgen, gelingen, glauben, gratulieren, nützen, raten, schmecken, vertrauen, widersprechen, zuhören, zuschauen

Nominatif + verbe + datif + accusatif

Certains verbes exigent deux compléments d'objet. Dans ce cas, on applique la règle:
chose (objet direct) à l'**accusatif**
personne (objet indirect) au **datif**

Font partie notamment de ce groupe les verbes qui indiquent une action de donner ou de prendre, de dire ou de taire.

Ich	schenke	meiner Tochter	ein Fahrrad.
Er	erzählt	seinem Kind	eine Geschichte.
Sie	bringt	ihrer Freundin	eine Tasse Tee.
...			

De même: anbieten, beantworten, beweisen, empfehlen, erklären, erlauben, geben, glauben, leihen, mitteilen, sagen, schicken, verbieten, versprechen, vorschlagen, wegnehmen, wünschen, zeigen

▶ Exercice 4   ▶ Autres exercices sur *l'accusatif* et le *datif,* page 53

Nominatif + verbe + nominatif

Les verbes *sein* et *werden* exigent souvent deux éléments
constituants au nominatif.

Sie	ist	eine schöne Frau.
Sie	wird	Ärztin.

▶ Exercices sur *sein* et *werden,* page 18

Verbe + nominatif + complément au datif/à l'accusatif avec préposition

Les verbes avec prépositions fixes exigent toujours un
complément d'objet, avec préposition. Le cas – datif ou
accusatif – dépend de cette préposition.

▶ *Verbes avec prépositions,* pages 79–84

Wir	beginnen	mit dem Unterricht.
Ich	denke	gern an meine Kindheit.
Wir	freuen	uns auf die Ferien.
…		

Il existe également des verbes qui n'exigent pas toujours un
complément d'objet avec préposition mais qui sont liés à une
information qui doit s'accompagner d'une préposition.

Ich	fahre	nach Berlin.
Ich	gehe	ins Kino.
Sie	bleibt	im Haus.
…		

▶ Exercices sur les *verbes avec prépositions,* pages 85–90

4.2 La Phrase
Le verbe en deuxième position

La place du verbe conjugué

Dans une proposition principale, le verbe est en deuxième position. Si le verbe se compose de deux parties, la partie conjuguée se place en deuxième position, l'autre partie du verbe à la fin de la phrase.

	2e position		fin de la phrase
Heute	beginnt	der Film schon um 20 Uhr.	
Heute	fängt	der Film schon um 20 Uhr	an*.
Gestern	hat	der Film schon um 20 Uhr	begonnen.
Gestern	hat	der Film schon um 20 Uhr	angefangen*.
Heute	muss	der Film schon um 20 Uhr	beginnen.
Heute	muss	der Film schon um 20 Uhr	anfangen*.
Wann	beginnt	der Film heute?	
Wann	fängt	der Film heute	an*?

* ▶ *Verbes à particule séparable,* pages 46–47

La position initiale dans la phrase

Dans la langue écrite, presque tous les éléments de la phrase peuvent se trouver en position initiale. Le mot placé en première position a pour fonction d'établir la liaison avec le texte qui précède.
Important : on fait en général porter un accent particulier sur l'élément que l'on place en position initiale.

Dans la langue parlée, on peut trouver généralement en position initiale les éléments suivants : le nom ①, le pronom ②, l'adverbe ③, les indications de temps ④, les indications de lieu répondant à la question *wo?* ⑤, les informations amenées par une préposition ⑥, la proposition subordonnée ⑦.

	position initiale	2e position		fin de la phrase
①	Meine Freundin	ist	heute um 6.32 Uhr	angekommen.
②	Sie	ist	heute um 6.32 Uhr	angekommen.
③	Heute	ist	meine Freundin	angekommen.
④	Um 6.32 Uhr	ist	sie	angekommen.
⑤	In München	würde	ich auch gern	studieren.
⑥	Durch meine Krankheit	bin	ich immer noch sehr	geschwächt.
⑦	Wenn du willst,	kannst	du mich auch	besuchen.

Le champ central dans la phrase

On appelle *champ central* la portion de phrase comprise entre les deux parties du verbe (2e position et fin de la phrase). On ne peut avoir qu'un seul élément en position initiale; tous les autres éléments se trouvent donc dans le champ central.

La règle dite **court avant long** s'applique en général pour l'ordre des éléments dans le champ central:

A le pronom avant le nom

B ordre des noms: nominatif, datif, accusatif, génitif

C ordre des pronoms: nominatif, accusatif, datif

D les compléments d'objet au datif/à l'accusatif avant les compléments d'objet avec préposition

E ordre des diverses informations (en général): indications de **T**emps (wann?), de **C**ause (warum?), de **Ma**nière (wie?), de **Li**eu (wo? wohin?) → **te-ca-ma-li**

F une information connue (avec l'article défini) se place avant une information nouvelle (avec l'article indéfini)

G les données informatives se trouvent souvent au milieu, entre deux compléments d'objet

	2e position			fin de la phrase
B	Peter	hat	heute seiner Frau Blumen	mitgebracht.
	nom.		dat. acc.	
B	Heute	hat	Peter seiner Frau Blumen	mitgebracht.
			nom. dat. acc.	
A	Er	hat	ihr heute Blumen	mitgebracht.
A+C	Heute	hat	er ihr Blumen	mitgebracht.
C	Heute	hat	er sie ihr	mitgebracht.
A	Sie	hat	sich gerade die Hände	gewaschen.
A+C	Gerade	hat	sie sich die Hände	gewaschen.
D+B	Er	hat	seiner Frau eine Bluse aus Seide	mitgebracht.
D	Gestern	hat	sie einen Brief an ihren Freund	geschrieben.
E	Gestern	bin	ich um 6.32 Uhr in Frankfurt	angekommen.
			temps lieu	
E	Gestern	bin	ich wegen des Schnees mit dem Zug	gefahren.
			cause manière	
F	Ich	habe	dem Sohn meines Freundes ein Buch	geliehen.
			connu inconnu	
G	Ich	danke	dir herzlich für die Blumen.	
			compl. information compl. d'obj.	
			d'obj. avec préposition	
G	Bei der Kälte	muss	ich mir unbedingt einen Anorak	kaufen.
			sujet compl. information compl.	
			d'obj. d'obj.	

Les compléments d'objet restent en général dans le champ central. On ne les place en position initiale que lorsqu'on veut les mettre en relief:

Ich habe es mir schon gedacht.	*es* =	pronom personnel, non accentué
Das habe ich mir schon gedacht!	*das* =	pronom démonstratif, accentué

La négation

On distingue entre la négation de toute la phrase et la négation de certains éléments de la phrase.

Négation totale de la phrase

	2e position		fin de la phrase
Ich	kaufe	dir dieses Buch *nicht.*	
Ich	habe	ihn *nicht*	angerufen.
Ich	habe	ihn *nicht* sofort	angerufen.
Ich	kann	*nicht* Auto	fahren.
Ich	interessiere	mich *nicht* für Technik.	
Ich	esse	*kein* Fleisch.	

Négation partielle de la phrase

	2e position		fin de la phrase
Nicht ich	habe	meiner Mutter einen Brief	geschrieben.
Mein Bruder war es.			
Ich	habe	*nicht meiner Mutter* einen Brief	geschrieben.
Ich habe meinem Vater geschrieben.			

La position finale dans la phrase

En position finale, on peut trouver des phrases comparatives A et des compléments d'objet avec préposition B.

		2e position		fin de la phrase	
A	Der Film	ist	interessanter	gewesen	als ich gedacht habe.
A	Der Film	ist	nicht so interessant	gewesen	wie ich gedacht habe.
B	Ich	habe	mich sehr über deinen Besuch	gefreut.	
B	Ich	habe	mich sehr	gefreut	über deinen Besuch.

▶ *Phrases comparatives,* page 215

La phrase interrogative avec mot interrogatif

	2e position		fin de la phrase
Wie	heißen	Sie?	
Wann	fängt	der Film	an?

Les conjonctions : proposition principale + proposition principale

Il existe des conjonctions de subordination reliant une proposition subordonnée à une proposition principale (*als*, *wenn*, *weil* ...), et des conjonctions de coordination qui relient deux propositions principales. Ces conjonctions se placent entre deux principales ou en tête d'une nouvelle principale. Ce sont des corrélatifs, c'est-à-dire que la structure de la phrase ne subit pas de modification après la conjonction.

▶ *als*, *wenn*, *weil* ... pages 210–217

und	énumération	Ich fahre am Wochenende nach Paris *und* schaue mir den Louvre an.
sowohl ... als auch	énumération	Ich schaue mir *sowohl* den Louvre, *als auch* das Centre Pompidou an.
weder ... noch	exclusion	Mich interessieren *weder* die Museen *noch* die Kirchen.
aber	restriction/ opposition	Ich fahre am Wochende nach Paris, *aber* diesmal gehe ich in kein Museum.
zwar ... aber	restriction/ opposition	Ich liebe meine Kinder *zwar* sehr, *aber* ich bin auch gern mal einen Tag allein.
sondern	après une proposition négative	Ich fahre nicht weg, *sondern* bleibe lieber zu Hause.
oder	alternative	Ich fahre am Wochenende nach Paris, *oder* vielleicht bleibe ich auch zu Hause.
entweder ... oder	alternative	Ich fahre *entweder* nach Paris *oder* nach London.
denn	cause	Ich fahre am Wochenende nach Paris, *denn* im Frühling ist es dort sehr schön.

Les adverbes employés comme conjonctions

Certains adverbes peuvent, eux aussi, relier deux propositions principales. Ils se trouvent alors en position initiale ou directement après la partie conjuguée du verbe (3e position).

deshalb, deswegen, darum, daher	cause	Mein Auto ist kaputt, *deshalb* fahre ich heute mit dem Zug zur Arbeit.
zuerst, dann, danach, schließlich, zuletzt, gleichzeitig, vorher, nachher	temps	Ich frühstücke jetzt, *danach* fahre ich zur Arbeit. *Dann …*
trotzdem, dennoch	concession	Ich habe ein Auto, *trotzdem* fahre ich oft mit dem Fahrrad zur Arbeit.
also	conséquence	Ich bin krank, *also* bleibe ich heute zu Hause.
jedoch	restriction, opposition	Ich besuche dich morgen, *jedoch* habe ich erst am Nachmittag Zeit.

Tous ces adverbes employés comme conjonctions peuvent aussi être placés en 3e position. Mais dans ce cas, il est préférable de créer deux propositions indépendantes.

Mein Auto ist kaputt. Ich fahre deshalb heute mit dem Zug zur Arbeit.

Grâce à ces adverbes et conjonctions, on peut relier thématiquement des phrases entre elles et établir des associations entre différents éléments d'un texte. Il est donc important de les connaître pour écrire des textes tels que lettres, exposés, articles etc.

Vue d'ensemble

	Principale position 0	Principale 1ère/3e position	Subordonnée
cause	denn	deshalb, deswegen, daher, darum	weil, da
temps		zuerst, dann, danach, schließlich, zuletzt …	wenn, als, seit(dem), bevor/ehe, nachdem, sobald, während, bis
condition			wenn, falls
concession		trotzdem, dennoch	obwohl
conséquence		also	so dass, ohne dass, ohne zu
finalité			um zu + Inf., damit
opposition	aber, sondern	jedoch	(an)statt dass, (an)statt zu

▶ Exercices 1–13

1 Faites des phrases en mettant les deux parties du verbe à la bonne place.

1. Gestern – ich – um 8 Uhr – bin aufgestanden
   Gestern bin ich um 8 Uhr aufgestanden.
2. Wir – gern – eine neue Wohnung – würden mieten
3. Er – immer – zu spät – kommt
4. Sie – gestern – noch einmal – wurde operiert
5. Morgen früh – ich – wieder – wegfahren
6. Dieses Jahr – unser Sohn – nicht mit uns – in Urlaub – möchte fahren
7. Wir – gern – noch – ein bisschen länger – wären geblieben
8. Nächste Woche – dich – ich – besuche – sicher

2 Parmi les éléments proposés, quels sont ceux qui peuvent se placer en position initiale? Il y a une (1), deux (2) ou trois (3) possibilités.

1. die Wälder – sehr geschädigt – in den letzten Jahren – durch sauren Regen – wurden (3)
   Die Wälder wurden in den letzten Jahren durch sauren Regen sehr geschädigt.
   In den letzten Jahren wurden die Wälder durch sauren Regen sehr geschädigt.
   Durch sauren Regen wurden die Wälder in den letzten Jahren sehr geschädigt.
2. schenkte – einen großen Blumenstrauß – ihr – zum Geburtstag – er (2)
3. ihm – zum Abschied – sie – gab – einen Kuss (2)
4. haben – wir – gekündigt – unsere Wohnung (1)
5. mache – ab morgen – eine Diät – ich (2)
6. hat – den ganzen Morgen – gelesen – Zeitung – er (2)
7. hat – uns – das Hotel – gefallen – sehr gut (1)
8. die Geschäfte – in Deutschland – um 20.00 Uhr – schließen (3)

3 Placez l'élément écrit en italique en position initiale.

1. Er hat uns diese Geschichte *gestern* doch ganz anders erzählt!
   Gestern hat er uns diese Geschichte doch ganz anders erzählt!
2. Ich habe heute meinen Lehrer *zufällig* auf der Straße getroffen.
3. Ich würde sehr gern mal *in Paris* arbeiten.
4. Ich habe ihn leider *seit drei Monaten* nicht mehr gesehen.
5. Er hat mir *zum Geburtstag* einen sehr schönen Ring geschenkt.
6. Es hat *in der Nacht* mindestens vier Stunden lang geregnet.
7. Sie hat mir mein Buch *leider* noch nicht zurückgegeben.
8. Wir haben für ihn *zum Abschied* eine Party organisiert.

4 Répondez aux questions en veillant à l'ordre correct des noms et des pronoms. ▶ *Pronoms,* page 138

1. ■ Hat der Kellner Ihnen auch das Menü empfohlen?
   ● Ja, er *hat es uns auch empfohlen.*
   _____

5. ■ Hat der Küchenchef den Gästen schon das Menü vorgestellt?
   ● Ja, er _____
   _____ .

2. ■ Haben Sie den Bewerbern die Briefe schon zugeschickt?
   ● Ja, ich _____
   _____ .

6. ■ Haben Sie Herrn Berger schon den Kaffee gebracht?
   ● Ja, ich _____
   _____ .

3. ■ Hat der Nachbar den Kindern den Ball weggenommen?
   ● Ja, er _____
   _____ .

7. ■ Hast du deinem Vater schon dein Zeugnis gezeigt?
   ● Ja, ich _____
   _____ .

4. ■ Hast du den Gästen schon unseren neuen Sherry angeboten?
   ● Ja, ich _____
   _____ .

8. ■ Haben Sie Ihren Studenten schon den Konjunktiv erklärt?
   ● Ja, ich _____
   _____ .

5 Intégrez aux phrases les informations données entre parenthèses.

1. Wir möchten Sie gern einladen. (mit Ihrer Frau – am Samstagabend – zum Essen)
   Wir möchten Sie gern am Samstagabend mit Ihrer Frau zum Essen einladen.

2. Wir gehen ins Schwimmbad. (mit den Kindern – heute Nachmittag)

3. Wir waren in Urlaub. (in den USA – mit dem Wohnmobil – letzten Sommer)

4. Ich würde gern spazieren gehen. (am Fluss – mit dir – abends)

5. Sie geht zum Tanzen. (mit ihrem neuen Freund – jeden Abend – in dieselbe Disco)

6. Ich fahre nach Berlin. (wegen der Hochzeit meines Bruders – nächsten Sonntag)

7. Ich räume die Küche auf. (heute Abend – ganz bestimmt)

8. Er hat sich erkältet. (beim Skifahren – in der Schweiz – letzte Woche)

6 Mettez en relief l'élément écrit en italique.

1. Wir möchten *darüber* lieber nicht mehr sprechen.
   Darüber möchten wir lieber nicht mehr sprechen.
2. Ich will nichts mehr *mit ihm* zu tun haben.
3. Natürlich hat *mir* wieder keiner was gesagt!
4. Ich weiß *davon* leider nichts.
5. Du kannst dich ganz bestimmt *auf mich* verlassen.
6. Niemand hat mir *das* gesagt.
7. Es ist ihm bei dem Unfall *glücklicherweise* nichts passiert.
8. Ich möchte auch gern einmal *dorthin* fahren.

7 Dans les phrases suivantes, l'ordre des mots n'est pas juste. Corrigez-le.

1. Ich fahre mit dem Zug heute nach Hause.
   Ich fahre heute mit dem Zug nach Hause.
2. Ich habe beim Chef mich schon entschuldigt.
3. Er musste vor dem Theater lange auf mich gestern warten.
4. Ich kann nach Hause dich gern fahren.
5. Er hat das Buch ihr schon gebracht.
6. Ich habe wegen der Kälte einen warmen Anorak mir gekauft.
7. Sie hat nichts mir gesagt.
8. Wir sind in die Berge am Sonntag zum Wandern gefahren.

8 Introduisez la négation *nicht*.

1. Das ist sehr teuer.
   Das ist nicht sehr teuer.
2. Seine Bilder haben mir gut gefallen.
3. Ihre Mutter wird operiert.
4. Er hat sich an mich erinnert.
5. Ich habe das gewusst.
6. Ich kann Tennis spielen.
7. Ich bleibe hier.
8. Du sollst das machen.

9 Introduisez *kein* ou *nicht*.

1. Ich mag _keine_____ langweiligen Menschen.
2. Es ist _____ kalt hier.
3. Warum hast du _____ Hunger?
4. Sie hat _____ Glück in der Liebe.
5. Ich habe jetzt _____ Lust spazieren zu gehen.
6. Er kann leider _____ gut Englisch.
7. Ich habe _____ Stift dabei. Könntest du mir _____ kurz deinen leihen?
8. Wir suchen _____ Wohnung, sondern ein Haus.
9. Entschuldigung, sprechen Sie bitte langsamer. Ich verstehe _____ viel Deutsch.
10. Tut mir leid, ich kenne _____ guten Mechaniker, der dir bei der Reparatur helfen könnte.

10 Faites porter la négation sur ce qui est écrit en italique
(un seul élément ou la phrase entière).

1. Sie sind *immer* pünktlich.
   Sie sind nicht immer pünktlich.
2. *Ich kenne sie.*
3. Wir gehen *heute* ins Konzert,
   (sondern morgen).

4. *Alle* lieben diese Sängerin.
5. *Er kann Ski fahren.*
6. Ich gehe *mit jedem* aus.
7. *Ich weiß es.*
8. Das versteht *jeder*.

11 Complétez les phrases par *und* (2 fois), *sowohl ... als auch, weder ... noch,
aber, zwar ... aber, sondern, oder, entweder ... oder, denn* (2 fois).

1. ■ Könnten Sie mir bitte kurz Ihr Wörterbuch leihen, _denn_____ ich finde
   meins nicht?

2. ■ Gehst du heute Abend mit uns ins „Papillon"?
   ● Ich komme gern mit, _____ nicht lange, _____ ich möchte heute
   früh ins Bett gehen.

3. ■ Welche Opern mögen Sie lieber, die von Verdi oder Mozart?
   ● Ich liebe _____ die Opern von Verdi _____ die von Mozart.
   Meine Lieblingsoper ist übrigens „La Traviata".

4. ■ Ist Tante Emma schon da?
   ● Nein, sie wollte nun doch nicht heute kommen, _____ lieber morgen.

5. ■ Mögen Sie keinen Champagner?
   ● Doch, sehr. Ich darf _____ keinen Alkohol trinken, _____ heute
   mache ich mal eine Ausnahme.

6. ■ Was machst du denn nach dem Unterricht?
   ● Ich weiß es noch nicht. _____ gehe ich nach Hause _____ mache
   einen Mittagsschlaf _____ ich gehe ins Zentrum zum Einkaufen.

7. ■ Sprechen Sie Spanisch oder Italienisch?
   ● _____ _____ , aber ich kann sehr gut Englisch und Französisch.

8. ■ Was machen Sie heute Abend?
   ● Ich weiß es noch nicht genau. Vielleicht gehe ich ins Kino, _____ ich
   bleibe zu Hause _____ sehe fern.

12 Reliez les phrases entre elles de manière à faire un texte. Utilisez autant que possible, en les plaçant en position initiale, les adverbes proposés ci-dessous, ou un autre élément de la phrase (à l'exception du sujet).

Rappelez-vous la règle : l'élément situé en position initiale d'une phrase relie celle-ci avec le texte qui précède.

trotzdem	schließlich	gestern	deshalb	
	in diesem Moment	deswegen	sofort	leider
daraufhin	zum Glück		aber	plötzlich
also	dann	vielleicht	gleich	und

1. Ich bin nach der Schule nach Hause gegangen.
2. Ich habe vor der Haustür bemerkt, dass ich meinen Schlüssel vergessen habe.
3. Unsere Nachbarin hat auch einen Schlüssel von unserer Wohnung.
4. Ich habe bei ihr geklingelt.
5. Sie war nicht zu Hause.
6. Ich habe überlegt, was ich tun kann.
7. Ich hatte eine Idee.
8. Ich rief den Schlüsselnotdienst an.
9. Der Schlüsselnotdienst kam.
10. Der Mann öffnete mir die Tür.
11. Meine Mutter kam früher von der Arbeit zurück.
12. Ich musste 140,– EUR bezahlen.
13. Ich habe das Geld umsonst bezahlt.

13 Récrivez les phrases en utilisant les adverbes donnés entre parenthèses. Certaines d'entre elles devront être totalement recomposées. Attention à l'ordre des mots dans la phrase.

1. Bevor wir nach Berlin umgezogen sind, lebten wir am Land in Oberbayern. (früher/jetzt)
2. Da ich in Bayern meine Kindheit verbracht habe, liebe ich die Berge. (deshalb)
3. Obwohl das Leben in einer Großstadt wie Berlin eine große Umstellung für mich bedeutet hat, habe ich mich schnell daran gewöhnt. (trotzdem)
4. In Berlin verwenden die Leute zum Beispiel das Wort „Semmel" nicht. Sie sagen „Schrippen". (hier)
5. Vor ein paar Tagen hat mir jemand gesagt, als ich ihn mit „Grüß Gott" begrüßt habe: „Du kommst wohl aus Bayern!", weil man hier „Guten Tag" sagt. (neulich – denn)
6. So sage ich jetzt auch immer „Guten Tag", wenn ich jemanden grüße. (also)

4.3 La Phrase
Le verbe en position initiale

L'impératif

1ère position		fin de la phrase
Komm	bitte hierher!	
Macht	doch bitte die Tür	zu!
Nehmen	Sie doch noch etwas zu essen!	

▶ *Impératif,* pages 57–60

La phrase interrogative appelant la réponse oui/non

1ère position		fin de la phrase
Gehst	du heute Abend mit ins Kino?	
Könntet	ihr bitte das Fenster	öffnen?
Hören	Sie gern Musik?	

4.4 La Phrase
Le verbe en position finale

Les propositions subordonnées (PS) complètent une proposition principale (PP) à laquelle elles sont reliées.

Règle: Dans une proposition subordonnée, le verbe est à la fin.

Pour l'ordre des autres éléments, on applique les règles en vigueur pour le champ central de la principale.

▶ *Champ central de la principale,* pages 198–199

Principale

	2e pos.	fin de la phrase	
Ich	lerne	Deutsch,	
Ich	lerne	Deutsch,	
Ich	habe	Deutsch	gelernt,

Subordonnée

	verbe à la fin
weil ich in Deutschland	arbeite.
weil ich in Deutschland	arbeiten möchte.
als ich in Deutschland	gearbeitet habe.

Subordonnée

= 1ère position
Als ich in Deutschland gearbeitet habe,

Principale

2e pos.		fin de la phrase
habe	ich Deutsch	gelernt.

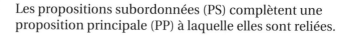

Propositions subordonnées de temps

Simultanéité	Succession d'événements
als	bevor/ehe
wenn	nachdem
während	sobald
bis	
seit / seitdem	

▶ *Les temps,* pages 24–30

Simultanéité

als
question : quand?

- ■ Wann hast du eigentlich in Paris gelebt?
- ● *Als* ich noch Student war. Weißt du das nicht mehr?

action ou état unique dans le passé

wenn
question : quand?

- ■ *Wenn* ich das nächste Mal nach Paris fahre, bring' ich dir einen besonders guten Rotwein mit.
- ● Oh, das wäre sehr nett.

action unique dans le présent ou dans le futur

- ■ Hast du denn noch Freunde in Paris?
- ● Ja klar. Jedesmal *wenn* ich nach Paris gefahren bin, habe ich sie besucht.

action répétée dans le passé (la plupart du temps employé avec ,jedesmal' oder ,immer')

während
question : quand?

- ■ Kann ich dir irgend etwas helfen?
- ● Ja, das wäre sehr nett. *Während* ich das Essen warm mache, könntest du vielleicht schon den Tisch decken.

deux actions simultanées dans le passé, le présent ou le futur; le temps de la PP est identique à celui de la PS

bis
question:
jusqu'à quand?
combien de
temps?

- ■ Mama, darf ich mitkommen?
- ● Nein, du wartest im Auto, *bis* ich zurückkomme. Ich bin gleich wieder da.

terme d'une action (dans le temps)

seit / seitdem
question:
depuis quand?

- ■ Wie geht es Ihnen?
- ● Danke, gut. *Seitdem* ich nicht mehr soviel arbeite, geht es mir viel besser.

PS : début d'une période

Succession d'événements

bevor/ehe
question : quand?

■ Also, um wie viel Uhr kommst du morgen?
● Ich weiß es noch nicht genau. Aber ich kann dich ja kurz anrufen, *bevor* ich zu Hause losfahre.

l'action de la PP se situe avant l'action de la PS; mais le temps de la PP est généralement identique à celui de la PS

nachdem
question : quand?

■ Warum bist du denn gestern Abend nicht mehr zu uns gekommen?
● Ich war einfach zu müde. *Nachdem* ich den ganzen Tag am Computer gearbeitet hatte, taten mir die Augen weh, und ich wollte nur noch ins Bett.

Passé: plus-que-parfait (PS) + prétérit (PP); dans le langage courant, on remplace souvent le prétérit par le parfait

■ Kannst du dich denn schon auf Deutsch unterhalten?
● Ein bisschen. *Nachdem* ich diesen Sprachkurs beendet habe, kann ich hoffentlich genug Deutsch, um mich mit Deutschen zu unterhalten.

Parfait (PS) + présent (PP)

sobald
question : quand?

■ Kommst du nicht mit uns?
● Doch, aber ich muss noch auf meine Tochter warten. *Sobald* sie da ist, kommen wir nach.

tout de suite après; les temps sont les mêmes que pour ‚nachdem', ou bien le temps de la PS est identique à celui de la PP

▶ Exercices 1–16

Propositions subordonnées de cause

weil

- ■ Warum kommst du denn nicht mit ins Kino?
- ● *Weil* ich keine Zeit habe. Ich muss noch arbeiten.

Explication répondant à la question: pourquoi?

da

- ■ Was haben Sie am Wochenende gemacht?
- ● Nichts Besonderes. *Da* das Wetter schlecht war, bin ich fast die ganze Zeit zu Hause geblieben und habe gelesen oder ferngesehen.

Renvoi à quelque chose de déjà connu; il est stylistiquement préférable de placer ‚da' en début de phrase

▶ Exercices 17–21

Propositions subordonnées de condition

wenn

- ■ Kommst du am Samstag mit zum Europapokal-Endspiel?
- ● Ja gern, *wenn* es noch Karten gibt.

Condition

falls

- ■ *Falls* du heute Abend doch noch kommst, bring bitte eine Flasche Wein mit.
- ● Ja, mach' ich.

Condition; la réalisation est encore incertaine

▶ Exercices 22–25

213

Propositions subordonnées de concession (contre toute attente)

obwohl

■ Er ist zur Arbeit gegangen, *obwohl* er krank ist.

Une action se passe contre toute attente

On peut exprimer la même chose à l'aide de deux propositions principales indépendantes reliées par *trotzdem*:

■ Er ist krank. Trotzdem geht er zur Arbeit.

▶ Exercices 26–29   ▶ Pages 189, 202–203

Propositions subordonnées de but (finalité, intention)

damit / um … zu

■ Musst du denn jetzt noch telefonieren?
  Unser Zug fährt doch gleich!
● Ich muss schnell meine Eltern anrufen,
  damit sie uns vom Bahnhof abholen.

But, intention

■ Warum bist du in Deutschland?
● *Damit* ich ein Praktikum mache.
mieux :
● *Um* ein Praktikum *zu* machen.

La personne qui fait l'action dans la principale est identique à celle qui fait l'action dans la subordonnée:

Ich bin in Deutschland, *um* ein Praktikum *zu* machen.
→ *um … zu* + infinitif

▶ Exercices 30–33

Propositions subordonnées de conséquence

sodass

■ Du wolltest doch gestern noch schwimmen gehen?
● Ja, eigentlich schon. Aber am Abend wurde es ziemlich kalt, *sodass* ich keine Lust mehr hatte.
Conséquence

so ... dass

■ Du wolltest doch gestern noch schwimmen gehen?
● Ja, eigentlich schon. Aber am Abend wurde es *so* kalt, *dass* ich keine Lust mehr hatte.
Conséquence (l'accent est mis sur l'adjectif)

**ohne dass/
ohne ... zu**

■ Warum ist Ilse denn so traurig?
● Ihr Freund ist weggefahren, *ohne dass* er sich von ihr verabschiedet hat.
mieux :
● Ihr Freund ist weggefahren, *ohne* sich von ihr *zu* verabschieden.
Conséquence (avec une négation)

▶ Exercices 34–35

Propositions subordonnées de manière

wie
question:
comment?

■ Wie war euer Urlaub in Portugal?
● Sehr schön. Alles war genau *so*, *wie* wir es erwartet hatten.
‚so ... wie‘; le fait correspond à l'attente

als

■ Wie war denn euer Urlaub in Portugal?
● Wunderbar. Es war noch *schöner*, *als* wir es erwartet hatten.

je ... desto/umso
Comparatif + ‚als‘; le fait ne correspond pas à l'attente

■ *Je schneller* ich mit dem Auto fahre, *desto mehr* Benzin verbraucht es.

Proposition subordonnée: ,je' + comparatif; Proposition principale: ,desto/umso' + comparatif

Wie et *als* peuvent relier non seulement une principale et une subordonnée, mais aussi d'autres mots ou éléments de la phrase:

Ich bin *so* groß *wie* du.
Ich bin *größer als* du.

▶ Exercices 36–39   ▶ *Komparativ* Seite 116–117

Propositions subordonnées d'opposition (l'action est contraire à l'attente)

(an)statt dass/
(an)statt … zu

■ Kannst du mir bitte ein bisschen helfen, *anstatt dass* du den ganzen Tag nur fernsiehst?
mieux :
■ Kannst du mir bitte ein bisschen helfen, *anstatt* den ganzen Tag nur fern*zu*sehen?

Le comportement de quelqu'un n'est pas celui qu'on attend

▶ Exercices 40–41

dass – ob

Dass et *ob* sont des conjonctions sans signification propre. Elle ne servent qu'à relier une principale et une subordonnée.

Ob ne peut se trouver que dans la réponse à une question impliquant la réponse oui/non.

dass

■ Ich wusste nicht,   *dass* du heute Geburtstag hast.
Proposition principale   *Proposition subordonnée*

ob

■ Kommst du heute Abend mit ins Kino?
● Ich weiß noch nicht,   *ob* ich Zeit habe.
Proposition principale   *Proposition subordonnée*

▶ Exercices 42–47

1 Trouvez les phrases qui vont ensemble et classez-les.

1	2	3	4	5	6	7

1. Als ich in Deutschland war,
2. Bevor man in Deutschland studieren kann,
3. Jedesmal wenn wir in Paris waren,
4. Seitdem sie in Italien lebt,
5. Nachdem ich eine Stunde gewartet hatte,
6. Dieser faule Typ! Während ich Ski fahre,
7. Warte hier,

a liegt er im Bett und liest.
b ist sie viel glücklicher.
c hat es nie geregnet.
d bis ich zurückkomme.
e haben wir unsere Verwandten besucht.
f ging ich schließlich nach Hause.
g muss man eine Sprachprüfung bestehen.

2 Commencez la phrase par la subordonnée.

1. Ich hatte noch kein Fahrrad, als ich so alt war wie du.
   Als ich so alt war wie du, hatte ich noch kein Fahrrad.
2. Ich muss noch schnell die Wohnung aufräumen, bevor meine Eltern kommen.
3. Du könntest doch schon mit dem Geschirrspülen anfangen, während ich das Bad putze.
4. Du bist schrecklich nervös, seitdem sie angerufen haben.
5. Ich habe mir erst einmal ein Glas Wein geholt, nachdem sie angerufen hatten.
6. Ich habe nie geglaubt, dass sie mich wirklich besuchen wollen, bis ihr Anruf am Samstagabend kam.
7. Sie haben mich nie besucht, als ich in London gelebt habe.
8. Wir haben immer im selben Hotel gewohnt, wenn wir in Paris waren.

3 Complétez par *als* ou *wenn*.

_____ wir letztes Jahr im Urlaub in Schweden waren, hatten wir großes Glück mit dem Wetter.
_____ die Sonne schien, machten wir immer lange Wanderungen, und _____ es regnete, blieben wir zu Hause.
Eines Tages, _____ schon morgens die Sonne schien, gingen wir ohne Regenjacken los. Nachdem wir circa drei Stunden gewandert waren, bewölkte sich der Himmel immer mehr, so dass wir zurückgingen.
Wir beeilten uns sehr, aber _____ wir kurz vor dem Hotel waren, fing es fürchterlich an zu regnen.
Es ist doch immer wieder dasselbe: _____ wir unsere Regenjacken mitnehmen, scheint garantiert den ganzen Tag die Sonne, aber _____ wir sie einmal zu Hause lassen, regnet es mit Sicherheit!
So war es auch, _____ wir vor zwei Jahren in Island waren.

4 Faites des phrases au prétérit avec *als* ou *wenn* (+ *immer* / *jedesmal*) Pour certaines d'entre elles, *als* et *wenn* sont tous deux possibles. Notez la différence de sens.

1. Kind sein – Lokomotivführer werden wollen
   Als ich ein Kind war, wollte ich Lokomotivführer werden.
2. noch kein Auto haben – viel zu Fuß gehen
3. krank sein – Mutter mir viele Bücher vorlesen
4. im Krankenhaus liegen – viel mit den anderen Kindern spielen
5. Großmutter zu Besuch kommen – uns Schokolade mitbringen
6. zur Schule gehen – nie Hausaufgaben machen wollen
7. in Urlaub sein – Vater viel mit mir spielen
8. in Italien sein – viel Eis essen

5 Faites des phrases fantaisistes au passé, en utilisant *als* ou *wenn*.

zur Schule gehen   in Urlaub sein

auf einem Baum sitzen

Auto fahren   ~~ein Kind sein~~

in der Badewanne liegen   Ski fahren

Humphrey Bogart treffen

~~Motorrad fahren~~   Klavier spielen

eine Symphonie komponieren

Zeitung lesen   Opernarien singen

auf den Händen gehen

Als ich ein Kind war, bin ich viel Motorrad gefahren.
…

6 Complétez la phrase par une proposition principale.

1. Als ich 10 Jahre alt war, *ging ich aufs Gymnasium.* _____
2. Als meine Großmutter noch lebte, _____ .
3. Als ich noch nicht verheiratet war, _____ .
4. Als ich 18 Jahre alt war, _____ .
5. Als ich noch keinen Computer hatte, _____ .
6. Als ich zur Schule ging, _____ .
7. Als ich das erste Mal verliebt war, _____ .
8. Als ich dich noch nicht kannte, _____ .

7 Faites des phrases en commençant par *während* et complétez la principale en utilisant *können*.

1. Koffer packen – auf der Bank Geld wechseln
   Während ich die Koffer packe, könntest du schon auf der Bank Geld wechseln.
2. tanken – Autofenster waschen
3. Reiseproviant vorbereiten – Küche aufräumen
4. Hotel suchen – auf das Gepäck aufpassen
5. duschen – die Koffer ausräumen
6. einen Parkplatz suchen – schon ins Restaurant gehen

9 Faites des phrases en commençant par *bis* ou *seitdem*.

1. gut Deutsch können – noch viel lernen
   Bis ich gut Deutsch kann, muss ich noch viel lernen.
2. in Deutschland leben – Sprachschule besuchen
3. mit der Arbeit beginnen – noch Deutsch lernen müssen
4. einen neuen Lehrer haben – gar nichts mehr verstehen
5. mit diesem Buch lernen – besser die Grammatik verstehen
6. gut Deutsch können – verrückt werden
7. eine neue Wohnung haben – glücklicher sein
8. ich sie kennen – Leben viel schöner sein

8 Regardez les dessins et expliquez ce que font les personnages, en commençant par *während*.

1. Während der Vater _____
   _____

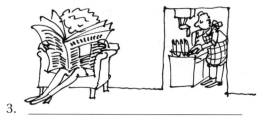

2. _____
   _____

3. _____

4. _____
   _____

Und ich darf nicht!

10 Ecrivez un petit dialogue. Le père répond en commençant par *sobald*.

	Kind	ins Schwimmbad gehen		*Vater*	Schuhe ausziehen	
■		Rad fahren	■		etwas essen	■
■		~~mit mir~~ spielen	■		Hände waschen	■
■		Eis essen gehen	■		~~Zeitung~~ lesen	■
■		malen	■		Schreibtisch aufräumen	■
■		in den Park gehen	■		Mittagsschlaf machen	■

■ *Papa, wann spielst du denn endlich mit mir?*
● *Sobald ich die Zeitung gelesen habe.*
...

11 Complétez les phrases en utilisant *als* ou *nachdem*.

1. ■ Waren Sie am Samstag in der Oper?
   ● Leider nicht, _____ wir eine Stunde an der Kasse gewartet hatten, hat der Mann vor uns die letzten zwei Karten gekauft, und wir mussten nach Hause gehen.

2. ■ Wie alt warst du, _____ du das erste Mal ohne deine Eltern in Urlaub gefahren bist?
   ● Da war ich ungefähr 16.

3. ■ Hallo, da seid ihr ja endlich! Warum habt ihr so lange gebraucht?
   ● Wir haben uns total verfahren. Aber _____ wir uns schließlich einen Stadtplan gekauft hatten, haben wir den richtigen Weg schnell gefunden.

4. ■ Wie hast du dich gefühlt, _____ du endlich wieder zu Hause warst?
   ● Einfach wunderbar!

5. ■ Wo haben Sie so gut Deutsch gelernt?
   ● Eigentlich in der Schule. Aber wirklich gut sprechen konnte ich erst, _____ ich sechs Monate in Hamburg gelebt hatte.

6. ■ Woher kennt ihr euch eigentlich?
   ● _____ wir Kinder waren, haben wir im selben Dorf gewohnt.

12 Répondez aux questions.

1. ■ Mama, wann hast du
   schwimmen gelernt?
   ● *Als ich 6 Jahre alt war.*

2. ■ Mama, wann darf ich zu meinen
   Freunden zum Spielen gehen?
   ● Sobald …

3. ■ Mama, wann bekomme ich
   endlich mehr Taschengeld?
   ● Wenn …

4. ■ Mama, wann kommt Papa nach
   Hause?
   ● Sobald …

5. ■ Mama, wann darf ich heute
   fernsehen?
   ● Bevor …

6. ■ Mama, wann hilfst du mir bei
   den Hausaufgaben?
   ● Wenn …

7. ■ Mama, wann hast du alle diese
   Bücher gelesen?
   ● Als …

8. ■ Mama, wann spielst du endlich
   mit mir?
   ● Sobald …

13 Complétez les réponses de M. Weise.

Interview mit Herrn Weise, Musiker,
66 Jahre alt.

1. ■ Herr Weise, wann waren Sie am
   glücklichsten in Ihrem Leben?
   (Kind sein)
   ● *Am glücklichsten war ich, als ich
   noch ein Kind war.*

2. ■ Was haben Sie nach dem Abitur
   gemacht? (zum Militär müssen)
   ● Ja also, nachdem …

3. ■ Und wann haben Sie dann mit
   dem Musikstudium begonnen?
   (26 Jahre alt)
   ● Als …

4. ■ Das ist doch ungewöhnlich spät.
   Wie kam das?
   (Arzt werden wollen)
   ● Ja wissen Sie, bevor ich mit dem
   Musikstudium …

5. ■ Seit wann spielen Sie überhaupt
   Klavier? (zur Schule gehen)
   ● Seit …

6. ■ Und wann haben Sie Ihre Frau
   kennengelernt?
   (aus USA zurückkehren)
   ● Nachdem ich …, besuchte ich
   einen alten Schulfreund. Sie ist
   seine jüngere Schwester.

7. ■ Waren Sie auch manchmal
   nervös bei Ihren Konzerten?
   (auf die Bühne gehen)
   ● Oh ja, jedesmal wenn …,
   war ich schrecklich nervös.

8. ■ Wann haben Sie aufgehört,
   Konzerte zu geben?
   (den zweiten Herzinfarkt haben)
   ● Nachdem …

14 Complétez par une proposition subordonnée.

1. Er fing erst an Sport zu treiben, *nachdem er mit dem Rauchen aufgehört hatte.*

2. Er trank so viel Bier, bis …

3. Seine Freundin verließ ihn, nachdem …

4. Seine Eltern schrieben ihm einen bösen Brief, als …

5. Er wanderte drei Monate allein durch die Berge, nachdem …

6. Er drehte sich um und ging weg, sobald …

7. Sie trank noch einen Kaffee, bevor …

8. Sie wollten nicht heiraten, bis …

9. Sie weinte den ganzen Abend, nachdem …

10. Sie haben ihr Haus verkauft, als …

11. Er wollte noch einmal mit ihr sprechen, bevor …

12. Ich spiele Trompete, seit …

13. Er sah fern, während …

14. Wir haben eine Flasche Champagner aufgemacht, nachdem …

15. Du kannst bei uns bleiben, bis …

16. Ich kann nicht mehr schlafen, seitdem …

17. Wir fahren los, sobald …

18. Ich war total überrascht, als …

19. Wir machen noch eine Pause, bevor …

20. Kommst du nach, sobald …

15 Racontez ce qui s'est passé le week-end dernier en utilisant les éléments proposés et le plus possible de conjonctions de temps.

am Sonntag	schönes Wetter	alle Restaurants voll
Auto kaputt	Ausflug	…
Zug verpassen	Bahnhof	eine Stunde warten

Als ich am Sonntag aufstand, stellte ich zu meiner großen Freude fest, dass endlich die Sonne schien und der Regen aufgehört hatte. …

16 Complétez le texte ci-dessous en utilisant *als* (2x), *wenn,*
während, nachdem, bevor, sobald, bis, seitdem.

Warten

Seit Montag wartete er auf diesen
Moment. Alles war vorbereitet.
_____ er noch einmal mit
prüfendem Blick durch die Zimmer ging,
5 überlegte er, ob er Musik auflegen sollte.
Klassische Musik vielleicht. Zum Glück
bin ich mit allem rechtzeitig fertig
geworden, dachte er, _____ er zum
wiederholten Mal an diesem Abend auf
10 die Uhr geschaut hatte. Er erwartete sie
um 20 Uhr, also in fünf Minuten.
Das Warten erschien ihm unerträglich.
_____ er unten auf der Straße ein
Auto vorfahren hörte, wurde er unruhig.
15 Es blieb stehen. _____ der Fahrer
den Motor abgestellt hatte, hörte er
laute Stimmen. Zwei oder drei Personen
sprachen fast zur gleichen Zeit, so dass
er nur einen Teil des Dialogs verstehen
20 konnte. „Warum hast du das nicht
gesagt, _____ wir losgefahren
sind", sagte eine Frau ärgerlich. Und der
Mann antwortete: „Das habe ich ja, aber
immer _____ ich mit diesem
25 Thema beginne, läufst du weg und hörst

mir nicht mehr zu". Mit diesen Worten
betraten sie das Wohnhaus nebenan.
Bis jetzt war er noch ruhig geblieben,
aber langsam wurde er nervös. Es war
30 bereits nach 20 Uhr. Warten, warten …
Wie lange musste er das noch ertragen,
_____ er sie endlich sehen würde.
Solange er nicht wusste, wie dieser
Abend sich entwickeln würde, konnte er
35 unmöglich ruhig und gelassen sein.
_____ das Telegramm am Montag
ihre Ankunft angekündigt hatte, konnte
er sich auf nichts mehr richtig
konzentrieren. Nur während der
40 Arbeitszeit gelang es ihm, die
Erinnerungen kurze Zeit hinter sich zu
lassen, aber am Abend zu Hause dachte
er nur an die alten Zeiten.
Wieder bog ein Auto um die Ecke und
45 hielt vor dem Haus. Er lauschte.
Einen Moment lang hoffte er, dass es
jemand anderes wäre. Auf einmal hatte
er Angst, Angst vor dem langersehnten
Augenblick. _____ er sie dann
50 sah …

17 Reliez les deux propositions par *weil.*

1. Ich gehe jetzt nach Hause. Ich bin müde.
    Ich gehe jetzt nach Hause, weil ich müde bin.
2. Der Film hat mir nicht gefallen. Er war so brutal.
3. In dieses Restaurant gehe ich nicht mehr. Es ist zu teuer.
4. Nein danke, ich trinke keinen Wein mehr. Ich muss noch Auto fahren.
5. Ich gehe jetzt ins Bett. Ich muss morgen früh aufstehen.
6. Wir essen kein Fleisch. Es schmeckt uns nicht.

18 Faites des phrases en mettant les éléments dans le bon ordre.

1. ihre – Frau Bauer – weil – ist – unglücklich – weggelaufen – Katze – ist
2. freut – hat – Toni – sich – Prüfung – weil – bestanden – er – die
3. kauft ein – da – Supermarkt – dort – am billigsten – alles – im – sie – ist
4. Bett – sie – müde – weil – Anna – ins – geht – ist
5. am Wochenende – krank – weil – ich – nicht – ich – bin – mitgekommen – war
6. es – Olivenöl – weil – wir – am besten – nur – ist – nehmen – zum Kochen

19 Faites des phrases en suivant le modèle.

- den Menschen helfen können
- ~~schöner Beruf~~ sein
- in vielen Ländern arbeiten können
- viel Neues lernen können
- abwechslungsreiche Arbeit haben
- interessanter Beruf sein
- …

Arzt	Lehrer	Musiker
~~Ärztin~~	Maler	Lehrerin
Musikerin	Malerin	…

Ich möchte Ärztin werden, weil das ein schöner Beruf ist.

…

20 Répondez aux questions.

1. ■ Papa, warum liest du immer so lange Zeitung?
   ● Weil _____

2. ■ Papa, warum kannst du jetzt nicht mit mir spielen?
   ● Weil _____

3. ■ Papa, warum musst du immer so viel arbeiten?
   ● Weil _____

4. ■ Papa, warum ist das Wasser im Meer salzig?
   ● Weil _____

5. ■ Papa, warum fällt der Mond nicht vom Himmel runter?
   ● Weil _____

6. ■ Papa, warum sagst du immer, dass ich still sein soll?
   ● Weil _____

21 Complétez les phrases par une subordonnée commençant par *weil* ou *da*.

1. Ich gehe nicht auf dem Mond spazieren, *weil ich nicht Neil Armstrong bin.*

2. Sie schläft mit den Füßen auf dem Kopfkissen, _____ .

3. Er wäscht seine Haare mit rohen Eiern, _____ .

4. Wir sitzen im Unterricht auf Stühlen, _____ .

5. _____ , will ich nicht Prinz Charles heiraten.

6. Sie zieht nur rote Hosen an, _____ .

7. _____ , möchte ich nicht mit dir verreisen.

8. _____ , will ich Cowboy werden.

22 Reliez les phrases en suivant le modèle.

1. Gehen Sie jetzt spazieren? Dann sollten Sie einen Regenschirm mitnehmen.
   Wenn Sie jetzt spazieren gehen, sollten Sie einen Regenschirm mitnehmen.

2. Kauft Hans sich schon wieder einen Ferrari? Dann hat er aber sehr viel Geld.

3. Streitet ihr schon wieder? Dann geht ihr sofort ins Bett.

4. Brauchst du noch Geld? Dann ruf mich einfach an.

5. Haben Sie noch etwas Zeit? Dann schreiben Sie bitte noch schnell diesen Brief.

6. Haben Sie immer noch Schmerzen? Dann nehmen Sie eine Tablette mehr pro Tag.

23 Répondez aux questions.

1. ■ Kommst du mit ins Schwimmbad?
   ● Ja gern, wenn *ich mit der Hausaufgabe fertig bin.*

2. ■ Fahren Sie nächstes Jahr im Urlaub wieder nach Brasilien?
   ● Ja, wenn … genug Geld haben

3. ■ Schmeckt Ihnen bayerisches Essen?
   ● Ja, wenn … nicht so fett sein

4. ■ Suchst du dir wieder einen Job als Babysitter?
   ● Ja, wenn … keine andere Arbeit finden

5. ■ Mama, darf ich noch zu Anna zum Spielen gehen?
   ● Ja, wenn … nicht zu spät nach Hause kommen

6. ■ Kommst du am Samstag mit zum Fußballspiel ins Olympiastadion?
   ● Ja, wenn … noch Karten bekommen

7. ■ Singst du gern?
   ● Ja, besonders wenn … in der Badewanne liegen

24 Complétez les phrases.

1. Wenn *du mich besuchst* , koche ich dir etwas Gutes.

2. Falls _____ , komm doch noch zu uns.

3. Ich leihe Ihnen gern mein Auto, wenn _____ .

4. Wenn _____ , bin ich immer am glücklichsten.

5. Wir würden uns sehr freuen, wenn _____ .

6. _____ , falls ihr keine anderen Pläne habt.

7. Falls Sie nächstes Jahr wieder nach Europa kommen, _____ _____ .

8. _____ , falls du heute noch einkaufen gehst?

25 Répondez aux questions.

1. ■ Gehen Sie morgen Abend mit mir ins Theater?
   ● Ja gern, falls *die Karten nicht zu teuer sind.*

2. ■ Möchten Sie etwas zu essen?
   ● Ja gern, falls …

3. ■ Fahren wir am Wochenende in die Berge?
   ● Ja gern, wenn …

4. ■ Möchtest du gern Chinesisch lernen?
   ● Ja, sehr gern, wenn …

5. ■ Könntet ihr mir am Samstag beim Umzug helfen?
   ● Ja gern, falls …

6. ■ Darf ich Sie zu einem Glas Wein einladen?
   ● Ja, sehr gern, wenn …

26 Trouvez les phrases qui vont ensemble et classez-les.

1	2	3	4	5	6

1. Frau Mutig geht allein in den Wald,

2. Er kauft sich ein neues Fahrrad,

3. Sie geht nicht zum Arzt,

4. Sie isst nie Obst,

5. Sie haben nur eine kleine Wohnung,

6. Er geht mit seiner Frau ins Theater,

a obwohl es so gesund ist.

b obwohl er lieber ins Kino gehen würde.

c obwohl sie fünf Kinder haben.

d obwohl es schon dunkel ist.

e obwohl sie krank ist.

f obwohl sein altes noch in Ordnung ist.

27 Transformez les phrases de l'exercice 26 en commençant par *obwohl*.

1. *Obwohl es schon dunkel ist, geht Frau Mutig allein in den Wald.*
...

29 Faites cinq phrases pour justifier l'affirmation ci-dessous.

Ich finde Deutschland toll,

– *weil das Bier überall gut schmeckt.*
– *obwohl es dort so kalt ist.*
...

30 Répondez aux questions.

1. Warum lernst du Deutsch?
   in Deutschland studieren können
   Ich lerne Deutsch, um in Deutschland studieren zu können.

2. Wozu brauchen Sie denn alle diese Werkzeuge?   Auto reparieren

3. Wozu brauchst du denn einen Computer?   damit spielen

4. Warum warst du am Wochenende schon wieder in Wien?
   Freundin besuchen

5. Warum stellst du nur immer so viele Fragen?   dich ärgern

6. Warum machst du so viele Übungen in diesem Buch?   Grammatik üben

28 Formez des questions.

Fußball spielen	~~spazieren gehen~~
schon nach Hause gehen	
allein nach New York fliegen	
fernsehen	Auto kaufen
schönes Wetter	gefährlich
~~es regnet~~	nicht spät
kein Geld haben	es schneit

Willst du wirklich spazieren gehen, obwohl es so stark regnet?
...

31 Reliez les propositions en utilisant *damit* ou *um ... zu*.

1. Er spart sein Taschengeld. Er möchte sich ein Videospiel kaufen.
   Er spart sein Taschengeld, um sich ein Videospiel zu kaufen.

2. Die Firma vergrößert ihren Werbe-etat. Sie möchte den Verkauf ihrer Produkte erhöhen.

3. Die Banken erhöhen die Zinsen. Die Bürger müssen mehr sparen.

4. Die Regierung beschließt, die Staatsschulden zu verringern. Sie will die Inflation bekämpfen.

5. Die Eltern bauen ihr Haus um. Ihr Sohn kann darin eine eigene Wohnung haben.

6. Er geht ganz leise ins Schlafzimmer. Seine Frau soll nicht aufwachen.

7. Ich habe in mein Auto einen Katalysator einbauen lassen. Ich kann mit bleifreiem Benzin fahren.

8. Er lernt eine Fremdsprache. Er möchte eine bessere Arbeit finden.

32 Complétez par une subordonnée commençant par *damit* ou *um ... zu*.

> Frau wieder in ihrer Heimat sein   ~~Deutsch lernen~~
> Praktikum machen   gutes Bier trinken   viel Geld verdienen
> Kinder hier zur Schule gehen   etwas Neues erleben

Herr Makopulos ist in Deutschland, *um Deutsch zu lernen.*

...

33 Répondez aux questions suivantes : pourquoi êtes-vous en Allemagne? Pourquoi aimeriez-vous aller un jour en Allemagne?

Ich bin in Deutschland, ...

...

34 Reliez les propositions en utilisant *so dass* ou *so ... dass*.

An Weihnachten

1. Die Kinder waren sehr aufgeregt. Sie konnten gar nicht mehr ruhig sitzen.
   Die Kinder waren so aufgeregt, dass sie gar nicht mehr ruhig sitzen konnten.
2. Die Kinder haben gebastelt. Sie hatten für jeden in der Familie ein kleines Geschenk.
3. Die Kinder haben ihrer Mutter beim Backen geholfen. Sie konnten schon die Plätzchen probieren.
4. Der Vater hat vorher viel gearbeitet. Er konnte nach Weihnachten ein paar Tage frei nehmen.
5. Die Großmutter kam zu Besuch. Sie musste die Feiertage nicht allein verbringen.
6. Der Weihnachtsbaum war groß. Sie brauchten zum Schmücken eine Leiter.

35 Faites des phrases en les reliant par *ohne ... zu*.

1. wegfahren – sich nicht verabschieden
   Er fuhr weg, ohne sich zu verabschieden.
2. später kommen – nicht vorher anrufen
3. jemandem weh tun – sich nicht entschuldigen
4. laute Musik hören – nicht an Nachbarn denken
5. jemanden beleidigen – es nicht merken
6. mein Fahrrad nehmen – nicht vorher fragen
7. vorbeigehen – nicht grüßen
8. aus dem Haus gehen – die Schlüssel nicht mitnehmen

36 Assemblez les phrases des deux listes en les reliant par *wie* ou *als*.

1. Das Ergebnis ~~der Verhandlung~~ war ~~besser,~~

2. Am Oktoberfest wurde so viel getrunken,

3. Dieser Computer ist nicht so gut,

4. Er kocht besser,

5. Wir mussten für die Reise weniger zahlen,

6. Sie schwimmt schneller,

a   ich gedacht habe.

b   im Allgemeinen angenommen wird.

c   ihre Konkurrenten befürchtet haben.

d   ~~wir erwartet hatten.~~

e   im vergangenen Jahr.

f   im Prospekt stand.

Das Ergebnis der Verhandlung war besser, als wir erwartet hatten.

...

37 Répondez aux questions en suivant le modèle.

- ▪ wie / als ich gedacht hatte ▪
- ▪ wie / als ich angenommen hatte ▪
- ▪ wie / als ich geglaubt hatte ▪
- ▪ ~~wie / als ich gehofft hatte~~ ▪
- ▪ wie / als ich erwartet hatte ▪
- ▪ wie / als ich vermutet hatte ▪
- ▪ wie / als ich befürchtet hatte ▪

1. War das Fußballspiel gut?
   Es war besser, als ich gehofft hatte.
   Es war nicht so gut, wie ich gehofft hatte.

2. Waren die Eintrittskarten schnell verkauft?

3. Ist das Buch spannend?

4. War der Film interessant?

5. Waren viele Leute bei der Veranstaltung?

6. Hast du viele Kollegen auf der Party getroffen?

7. War das japanische Essen gut?

8. War die Bergtour anstrengend?

38 Faites des phrases en utilisant *je ... desto/umso*.

▪ Sport machen wenig essen ▪	▪ häufig spazieren gehen ▪
▪ Künstler berühmt werden ▪	▪ viel verdienen gern arbeiten ▪
▪ Chef nett sein alt werden ▪	▪ eine gute Figur bekommen ▪
▪ ~~lange in England leben~~ ▪	▪ schlecht schlafen tolerant werden ▪
▪ Kaffee stark sein ▪	▪ ~~gut Englisch sprechen~~ ▪
▪ schönes Wetter sein ▪	▪ schlecht gelaunt sein ▪

Je länger ich in England lebe, desto besser spreche ich Englisch.
...

39 Complétez les phrases en suivant le modèle.

1. Je leiser du sprichst, *desto schlechter verstehe ich dich.* _____

2. Je weniger du anderen Leuten hilfst, _____

3. Je schlechter die Wirtschaftslage ist, _____

4. Je besser das Lehrbuch ist, _____

5. Je lustiger der Lehrer ist, _____

6. Je schöner ein Mann ist, _____

40 Faites des phrases en utilisant *anstatt … zu.*

mit dem Hund spielen	so lange telefonieren
~~zum Fenster hinausschauen~~	die schöne Frau beobachten
Musik hören	eine halbe Stunde duschen

Kannst du mir bitte ein bisschen helfen, anstatt den ganzen Tag zum Fenster hinauszuschauen?
…

41 Faites des phrases en utilisant *anstatt … zu.*

mit meiner Freundin spazieren gehen		Hausaufgaben machen	
Fenster putzen		Geschirr spülen ~~mit dir ausgehen~~	
in den Biergarten gehen		eine Diät machen	
Schokolade essen		arbeiten Klavier üben	
~~zu Hause bleiben~~		eine Prüfung machen	
in der Sonne liegen …		alte Kirchen besichtigen …	

Ich bleibe lieber zu Hause, anstatt mit dir auszugehen.
…

42 Complétez le texte ci-dessous en choisissant parmi les conjonctions proposées.

da	als	als	als	als	da	so dass
so dass	(so) … dass		nachdem		nachdem	
obwohl	ohne	während		wie		bevor

_____ wir vor zwanzig Jahren nach Berlin zogen, mieteten wir eine kleine, aber billige Wohnung in einem sehr alten Haus. (1)

5 _____ wir wussten, dass diese Wohnung mit unseren vier heranwachsenden Kindern bald zu klein werden würde, konnten wir uns keine andere leisten, _____

10 mein Mann zu dieser Zeit nicht viel verdiente. (2)

_____ wir mit der Renovierung begannen, besprachen wir mit unseren Kindern alles und fragten

15 sie, _____ sie ihr Kinderzimmer am liebsten hätten. (3)

Dann machten wir uns mit viel Elan an die Arbeit. _____ mein Mann und ich die Wände strichen,

20 mussten die zwei größeren Kinder auf ihre kleinen Geschwister aufpassen. (4)

_____ wir mit viel Mühe und Zeit alle Zimmer renoviert hatten,

25 gefiel uns unsere Wohnung sehr gut, _____ wir eine Zeit lang gar nicht mehr daran dachten umzuziehen. (5)

Erst _____ die Kinder dann

30 so groß waren, _____ sie nicht mehr alle zusammen in einem Zimmer wohnen wollten, dachten wir darüber nach, eine neue Wohnung zu suchen. (6)

35 Jedoch waren nach der Wiedervereinigung Deutschlands die Wohnungsmieten in Berlin sehr gestiegen, _____ wir uns keine größere Wohnung in Berlin

40 mehr leisten konnten. (7)

Deshalb überlegten wir, ob wir vielleicht aufs Land ziehen sollten, besonders _____ die Umgebung von Berlin sehr schön ist

45 und es dort eventuell noch billigere Wohnungen gab. (8)

_____ wir uns eines Tages wieder eine Wohnung in einem Dorf anschauten, entdeckten wir

50 durch Zufall ein kleines, sehr altes Haus, das leer stand. (9)

Wir waren alle begeistert davon, und den Kindern gefiel besonders der verwilderte, große Garten.

55 _____ wir herausgefunden hatten, wem es gehörte, schrieben wir gleich einen Brief an den Besitzer und fragten, ob es zu vermieten sei. (10)

60 Nach einer Woche erhielten wir seine Antwort. Wir waren alle ein bisschen nervös, _____ mein Mann den Brief öffnete. (11)

Aber wir hatten Glück. Die Miete war

65 nicht sehr hoch, und der Besitzer war froh, neue Mieter gefunden zu haben, _____ eine Anzeige in der Zeitung aufgeben zu müssen. (12)

43 Complétez les phrases à votre guise.

1. Ich suche eine neue Wohnung, *weil die alte zu klein ist.*
2. Ich habe schon viel erlebt, seitdem …
3. Obwohl sie noch sehr jung ist, …
4. Ich war sehr überrascht, als …
5. Wir werden dich besuchen, sobald …
6. Da ich kein Geld bei mir hatte, …
7. Warum warten Sie nicht, bis …
8. Nachdem der Zug angekommen war, …
9. Ich weiß nicht, ob …
10. Könntest du nicht ein bisschen mehr lernen, anstatt …
11. Es hat so geschneit, dass …
12. Nehmen Sie eine von diesen Tabletten, wenn …
13. Gehen sie nicht weg, bevor …
14. Das Buch ist nicht so interessant, wie …
15. Ich werde es Ihnen erklären, falls …
16. Ich hätte gern Ihre Adresse, damit …
17. Anstatt sein Geld zu sparen, …
18. Je mehr ich schlafe, desto …
19. Es geht mir viel besser, seit …
20. Während ich putze, …
21. Ich möchte jetzt nichts essen, weil …
22. Falls mein Chef anruft, …
23. Obwohl er krank war, …
24. Können Sie mir bitte sagen, ob …
25. Nimm nie mehr mein Auto, ohne …
26. Diese Übung ist leichter, als …

44 Complétez les phrases par des conjonctions.

Meine Großmutter erzählte uns Kindern Geschichten, …

1. _____ wir noch klein waren.
2. _____ uns zu unterhalten.
3. _____ wir Zähne geputzt hatten und im Bett lagen.
4. nie _____ etwas Neues zu erfinden.
5. _____ das Wetter schlecht war und wir nicht draußen spielen konnten.
6. _____ wir uns nicht langweilten.
7. _____ uns das so gut gefiel.
8. _____ sie immer viel Arbeit hatte.
9. _____ sie Essen kochte.
10. _____ wir abends ins Bett gingen.

45 Complétez par une subordonnée. Il y a souvent plusieurs possibilités.

1. Er kam nicht zum Unterricht, …
   … weil er den Zug verpasst hatte.
   … obwohl er es mir versprochen hatte.
2. Mein Vater gibt mir nicht mehr Geld, …
3. Er ging weg, …
4. Ich habe meine Arbeitstelle gekündigt, …
5. Morgen kommt meine Freundin, …
6. Sie erkundigte sich nach einem Flug in die Türkei, …
7. Die Arbeiter haben den Streik beendet, …
8. Österreich gefällt mir sehr, …

233

46 Inventez une histoire en utilisant librement toutes les conjonctions ci-dessous.

▪ als   obwohl   damit   ohne … zu   nachdem   weil   wenn ▪
▪   um … zu   da   während   sobald   bevor   ob   dass ▪

47 Trouvez les conjonctions manquant dans les phrases et écrivez-les en majuscules dans la grille ci-dessous (Ä = AE).

1. Ich bin heute sehr müde, ▬▬▬ ich letzte Nacht zu wenig geschlafen habe.
2. Kommen Sie mich doch mal besuchen, ▬▬▬ Sie Zeit haben!
3. ▬▬▬ ich einen Mittagsschlaf gemacht habe, ist er spazieren gegangen.
4. ▬▬▬ sie reich sind, leben sie sehr bescheiden.
5. Warte bitte hier, ▬▬▬ ich fertig bin.
6. ▬▬▬ sie weggefahren war, war er sehr traurig.
7. Er ging weg, ▬▬▬ sich noch einmal umzudrehen.

INDEX

A

ab *165, 169*
aber *201, 203*
Absence d'article *104, 107*
abwärts *183*
ab und zu *187*
Accusatif *50–52, 95–96, 194–196, 199*
Adjectif *104, 112–118*
Adverbe *183–189, 202–203*
   position dans la phrase *198–199*
Adverbes ordinaux et de fréquence *130*
alle *105, 136, 139*
alles *137, 142*
als
   comparatif *117*
   conjonction *200, 210–211, 215*
also *189, 202, 203*
als ob *67*
an *162–164, 166, 169*
anders *188*
(an)statt dass, (an)statt zu *203, 216*
Article *92–93*
Articles *104–107, 139–140*
Articles définis
   emploi *104*
   formes *105, 112–115*
Articles indéfinis
   emploi *104*
   formes *106–107, 112–115*
auf *163, 164, 166, 171*
aufwärts *183*
aus *162, 165, 169, 171, 172*
außerhalb *170*

B

bald *186, 187*
bei *163, 165, 170, 172*
beide *137, 140*
beinahe *188*
besonders *188*
bestimmt *188*
bevor *203, 210, 212*
bis

conjonction *203, 211*
   préposition *165, 169, 170*
bisher *186*
brauchen (zu) *12, 16–17, 69*

C

Cas *95–97*
Champ central *198–199*
Comparatif *116–117*
Complément d'objet *52, 194–196, 198–199*
Conjonctions
   proposition principale *201*
   proposition subordonnée *210–217*

D

da
   adverbe *184*
   conjonction *203, 213*
da(r) + préposition *79–80*
daher *189, 202, 203*
damals *186*
damit *203, 214*
danach *188, 202, 203*
dann *188, 202, 203*
darum *189, 202, 203*
das
   pronom démonstratif *199*
dass *217*
Datif *50–52, 95–96, 195–196, 199*
   verbes suivis du datif *61, 195*
Date *132*
Déclinaison des masculins faibles *95–96*
dein, deine, dein *106*
deiner, deine, deins *137, 141*
Déclinaison *92–97*
dennoch *189, 202, 203*
denn *201, 203*
der, die, das
   genre *92–93*
   article *104–105*
   pronom démonstratif *136, 139, 140*
   pronom relatif *145–147*
deshalb *189, 202, 203*

deswegen *189, 202, 203*
dieser, diese, dieses
   article *105*
   pronom démonstratif *136, 139, 140*
Discours indirect *78*
dorthin *183*
dort *184*
draußen *184, 185*
drinnen *184, 185*
drüben *184*
durch *61, 165*
dürfen *12–15, 69*

E

ebenso wie *188*
ehe *210, 212*
ein, eine, ein *104, 106*
einander *50*
einer, eine, eins *137, 141*
einige *137, 140*
einmal *186, 187*
entlang *165*
entweder … oder *201*
Élément constituant *194–196*
es *61, 138, 148–149, 199*
etwas *137, 142, 188*
euer, eure, euer *106*
eurer, eure, eures *137, 141*

F

falls *203, 213*
fast *188*
Féminin *92–93*
fort *185*
Fractions *131*
früher *186*
für *170*
Futur *30*

G

gar nicht *188*
gegen *165, 169*
gegenüber *165*
genauso wie *188*
Génitif *95–96*
Genre *92–94*

235

gerade *186*
gern *188*
gestern *186*
gleich *186*
gleichzeitig *202*

H
haben
   emploi *10*
   formes *11, 69*
hängen *164*
hätte *66–69*
häufig *187*
her *183*
her- *183–184*
heute *186*
hierher *183*
hier *184*
hin *183*
hin- *183–184*
hinten *184, 185*
hinter *164, 166*
hinterher *186, 187*
höchstens *188*

I
Ihnen *138*
Ihr *106*
ihr, ihre, ihr *106, 107*
ihrer, ihre, ihres *137, 141*
immer *187*
Impératif *57–58, 209*
in *163, 164, 166, 169, 171*
Indications de lieu
   position dans la phrase
   198–199
Infinitif *54–55*
Information *194, 196*
   position dans la phrase
   198–199
Information de temps *132–133*
   position dans la phrase
   198–199
innerhalb *170*
Interrogation sans pronom
   interrogatif *143–144*
irgendeiner, irgendeine,
   irgendeins, irgendwelche
   137, 141
irgendwie *188*

irgendwo *184, 185*
irgendwoher *185*
irgendwohin *184, 185*

J
je … desto/umso *216*
jeder, jede, jedes
   article *105*
   pronom *136, 139*
jedesmal *187*
jedoch *202, 203*
jemand *137, 142*
jener, jene, jenes *136*
jetzt *186*
Jour/journée *133*

K
kaum *188*
kein, keine, kein *106*
keiner, keine, keins *137, 141*
können *12–15, 69*

L
lang *170*
lassen *16–17, 54, 69*
legen/liegen *164*
leider *189*
links *184, 185*

M
mal *186, 187*
man *137, 142*
mancher, manche, manches
   article *105*
   pronom *137, 139*
manchmal *187*
Masculin *92–93*
meistens *187*
Mesures *131*
mindestens *189*
mit *171*
mitten *184*
möcht- *13–15, 69*
mögen *13–15, 69*
Mois *133*
Moments de la journée *133*
Monnaie *131*
morgen *186, 187*
Mot interrogatif *137, 143–144*
müssen *12–15, 69*

N
nach *162, 163, 165, 169, 171*
nachdem *210, 212*
nachher *186, 187, 202*
nämlich *189*
Nationalités *97*
neben *164, 166*
Proposition subordonnée
   210–217
Négation *200*
neulich *186*
neutrum *92–93*
nicht *200*
nichts *137, 142*
nie/niemals *187*
niemand *137, 142*
nirgends *184*
nirgendwo *184*
nirgendwoher *185*
nirgendwohin *184, 185*
Nom
   genre *92–94*
   pluriel *94–95*
   cas *95–96*
   infinitif substantivé *55*
Nombres *129–131*
Nominatif *95–96*
   Sujet *194–196, 199*
Noms composés *94*
Nombres cardinaux *129*
Nombres ordinaux *130*
nun *186*

O
oben *184, 185*
ob *144, 217*
obwohl *203, 214*
oder *201*
oft *187*
öfters *187*
ohne *171*
ohne dass/ohne zu *203, 215*

P
Parfait *26–27*
Participe *26–27, 29, 116, 118*
Particule *46–47*
Passé *26–29*
Passif *61–62*
Phrase interrogative *201, 209*

Pluriel *94–95*
Plus-que-parfait *29*
Poids *131*
Préposition
  vue d'ensemble *160–161*
  prépositions mixtes *164*
  marquant le lieu
  162–167
  marquant le temps *168–170*
  marquant la manière *171*
  marquant la cause *172*
  avec un pronom relatif
  146–147
  verbes + préposition *79–84,*
  196
Prépositions mixtes *164*
Présent *24–25*
Prétérit *28*
Pronom personnel *136, 138,*
  140
Pronoms *136–149*
  position dans la phrase
  198–199
Pronoms réfléchis *50–52,*
  138, 145
Pronoms relatifs *138, 145–147*
Proposition principale
  position du verbe *197–203*

R
rauf *183*
raus *183*
rechts *184, 185*
rein *183*
rüber *184*
rückwärts *183*
runter *184*

S
Saisons *133*
schließlich *188, 202, 203*
sehr *189*
sein
  emploi *10*
  formes *11, 69*
sein, seine, sein *106, 107*
seiner, seine, seins *137, 141*
seit *169*
seit/seitdem *210, 211*
selten *187*
setzen/sitzen *164*
Singulier *94–95*

sobald *210, 212*
sofort *186*
sollen *13–15, 69*
so *189*
sondern *201, 203*
sowohl … als auch *201*
so dass *203, 215*
später *186, 187*
statt dass/statt zu *203, 216*
stellen/stehen *164*
Subjonctif I *78*
Subjonctif II
  emploi *66–67*
  avec les verbes de modalité
  68
  avec le passif *68*
  formes *69*
Sujet *194–196, 199*
Superlatif *116–117*

T
trotzdem *189, 202, 203*

U
über *164, 166, 170*
überall *184,185*
überallher *185*
überallhin *184, 185*
überhaupt nicht *188*
übermorgen *186, 187*
um *165, 169*
umsonst *189*
um zu *203, 214*
und *201*
unser, unsere, unser *106*
unserer, unsere, unseres *137, 141*
unten *184, 185*
unter *164, 167*

V
Valence des verbes *194–196*
Verbes à particule séparable
  46–47
Verbes de modalité
  emploi *12–13*
  formes *14–15*
  position dans la phrase *15,*
  198–199, 210
  avec l'infinitif *54*
Verbes irréguliers *43–45*
Verbes réciproques *50*
Verbes réfléchis *50–52*

viel *142*
viele *137, 140*
von *61, 165, 169*
vor *164, 167, 169, 172*
vorgestern *186*
vorher *186, 202*
vorhin *186*
vorn *184, 185*
vorwärts *183*

W
während
  préposition *170*
  conjonction *210, 211*
wäre *66–69*
was
  comme pronom relatif *146,*
  147
weder … noch *201*
weg *185*
wegen *172*
weil *203, 213*
welche (pluriel) *141*
welcher, welche, welches
  137, 141
wenig *142*
wenige *137, 140*
wenigstens *189*
wenn *203, 210, 211, 213*
wer *137, 142*
werden
  emploi *10*
  formes *11, 69*
wie *117, 200, 215*
wo(r)- + préposition *79–80*
  comme pronom relatif *147*
wollen *13–15, 69*
wo
  comme pronom relatif *146*
würde *66–69*

Z
ziemlich *189*
zu
  infinitif *54–55*
  préposition *162, 163, 165,*
  170, 171
zuerst *188, 202, 203*
zuletzt *188, 202, 203*
zwar … aber *201*
zwischen *164, 167, 169*

In der Grundstufe: Lesestrategien lernen

Lesetraining

für Jugendliche und junge
Erwachsene in der Grundstufe
für Deutsch als Fremdsprache
von Manuela Georgiakaki
112 Seiten mit Fotos und
Zeichnungen
ISBN 3–19–001619–4

»Lesetraining« richtet sich an
jugendliche Lerner in der
Grundstufe. Es konzentriert
sich auf systematische
Übungen zur Fertigkeit „Lese-
verstehen" und ist lehrwerks-
begleitend in Kursen ein-
setzbar. Einen besonderen
Stellenwert nehmen dabei
Texte ein, die den Interessen
jugendlicher Lerner
entgegenkommen und ihre
Neugierde wecken.

Im **ersten Teil** des Buches wird der Lerner an den Umgang mit Lesetexten
herangeführt und mit Lesestrategien vertraut gemacht.

Im **zweiten Teil** wird der Wortschatz bedeutend erweitert, aber die Texte sind immer
noch relativ kurz, damit sie ohne Motivationsverlust bearbeitet werden können.

Im **dritten Teil** wird an komplexeren Texten gearbeitet.

Hueber – Sprachen der Welt